La croisée des saisons

Catalogage avant publication de Bibliothèque et Archives nationales du Québec et Bibliothèque et Archives Canada

Sénéchal-Castonguay, Vannessa, 1989-
La croisée des saisons
(Collection Roman)
ISBN 978-2-7640-2218-4
I. Titre.

PS8637.E526C76 2013 C843'.6 C2013-941783-4
PS9637.E526C76 2013

Groupe Librex inc.
Une société de Québecor Média
1055, boul. René-Lévesque Est, bureau 201
Montréal (Québec) H2L 4S5
Tél. : 514 270-1746

Dépôt légal : 2013
Bibliothèque et Archives nationales du Québec

Pour en savoir davantage sur nos publications, visitez notre site : **www.quebec-livres.com**

Éditeur : Jacques Simard
Conception de la couverture : Bernard Langlois
Illustration de la couverture : Istockphoto, Shutterstock
Infographie : Claude Bergeron

Imprimé au Canada

Gouvernement du Québec – Programme de crédit d'impôt pour l'édition de livres – Gestion SODEC.

L'Éditeur bénéficie du soutien de la Société de développement des entreprises culturelles du Québec pour son programme d'édition.

Nous reconnaissons l'aide financière du gouvernement du Canada par l'entremise du Fonds du livre du Canada pour nos activités d'édition.

DISTRIBUTEURS EXCLUSIFS :

- Pour le Canada et les États-Unis :
  MESSAGERIES ADP*
  2315, rue de la Province
  Longueuil, Québec J4G 1G4
  Tél. : (450) 640-1237
  Télécopieur : (450) 674-6237
  * une division du Groupe Sogides inc., filiale du Groupe Livre Québecor Média inc.

- Pour la France et les autres pays :
  INTERFORUM editis
  Immeuble Paryseine, 3, Allée de la Seine
  94854 Ivry CEDEX
  Tél. : 33 (0) 4 49 59 11 56/91
  Télécopieur : 33 (0) 1 49 59 11 33

  Service commande France Métropolitaine
  Tél. : 33 (0) 2 38 32 71 00
  Télécopieur : 33 (0) 2 38 32 71 28
  Internet : www.interforum.fr

  Service commandes Export – DOM-TOM
  Télécopieur : 33 (0) 2 38 32 78 86
  Internet : www.interforum.fr
  Courriel : cdes-export@interforum.fr

- Pour la Suisse :
  INTERFORUM editis SUISSE
  Case postale 69 – CH 1701 Fribourg – Suisse
  Tél. : 41 (0) 26 460 80 60
  Télécopieur : 41 (0) 26 460 80 68
  Internet : www.interforumsuisse.ch
  Courriel : office@interforumsuisse.ch

  Distributeur : OLF S.A.
  ZI. 3, Corminboeuf
  Case postale 1061 – CH 1701 Fribourg – Suisse

  Commandes : Tél. : 41 (0) 26 467 53 33
  Télécopieur : 41 (0) 26 467 54 66
  Internet : www.olf.ch
  Courriel : information@olf.ch

- Pour la Belgique et le Luxembourg :
  INTERFORUM BENELUX S.A.
  Fond Jean-Pâques, 6
  B-1348 Louvain-La-Neuve
  Tél. : 00 32 10 42 03 20
  Télécopieur : 00 32 10 41 20 24

Vannessa
Sénéchal-Castonguay

La croisée des saisons

Les lumières de New York

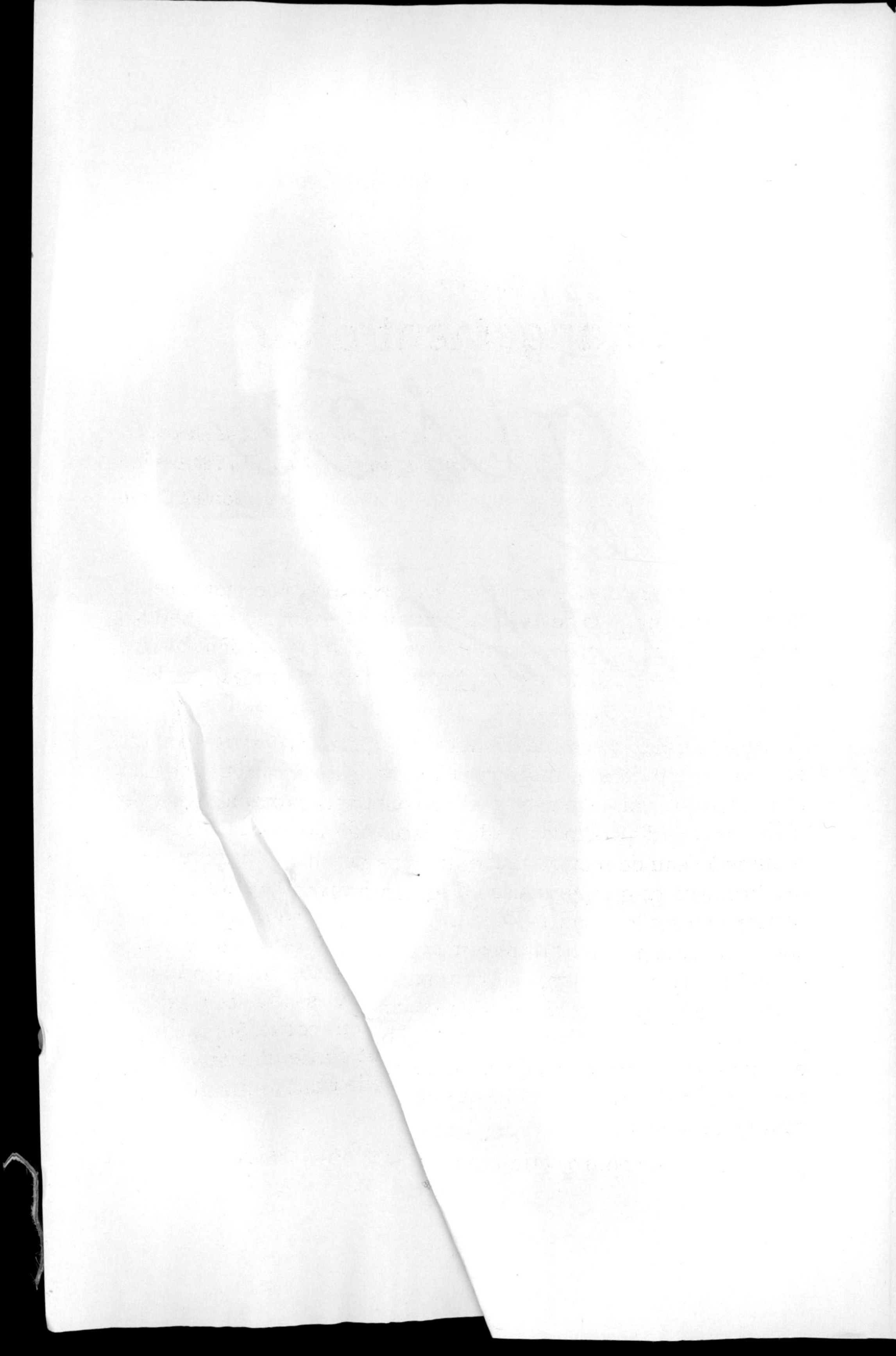

Chapitre 1
Changement d'air

La vie, c'est comme une boîte de chocolats :
tu ne sais jamais sur quoi tu vas tomber.

Forrest Gump

Elle avait pris en vitesse son sac à main et y avait fourré son cellulaire. Le teint rouge, la fièvre l'envahissant, elle ramassa ses lunettes de soleil, claqua la porte puis, une fois sortie, s'engagea dans la cage d'escalier. Dehors, dans le froid d'octobre, elle se dirigea vers Wall Street, se remémorant la scène.

Ayant terminé sa journée de travail à la maison d'édition et s'étant encore une fois crêpé le chignon avec son abruti de patron – Aude en avait marre de voir la maison d'édition publier des romans de merde d'auteurs merdiques (pas qu'elle ne reconnaissait pas la valeur des romans à l'eau de rose ou tout autre type populaire, mais il y avait des limites à ce qu'une maison d'édition pouvait faire lire comme niaiseries à ses lecteurs !) –, la jeune femme était allée directement chez elle. Lorsqu'elle avait ouvert la porte de son loft, elle y avait trouvé Henry, son copain, en fort bonne compagnie ; lui les culottes baissées, elle étendue sur la table de cuisine et ses belles grandes jambes se cambrant contre l'abruti qui la faisait cocue. Sur le coup, elle avait cru s'être trompée de porte et était sortie en vitesse. Elle avait regardé le numéro : 115. Prise de rage, elle était rentrée, défonçant la porte en hurlant :

— Espèce de pourri ! cria-t-elle en s'approchant de lui.

Honteux, il ne put soutenir son regard. Aude se tourna vers Anitha, cette supposée collègue de travail.

— Prends tes cliques et tes claques avant que je te sorte à grands coups de pied ! Va voir s'il y a pas un autre con prêt à tromper sa cruche !

Ladite Anitha ramassa ses vêtements et les enfila en sortant, claquant la porte derrière elle. Aude revint à Henry. Lorsqu'il daigna lever les yeux vers son amie, elle se remit à hurler :

— Ne me regarde pas, et sors d'ici immédiatement avant que je trouve de quoi te fendre la rate.

Il s'exécuta, sachant très bien qu'elle était probablement assez folle pour mettre ses menaces à exécution. Prise dans l'instant, sur l'impulsion, elle ramassa en vitesse tout ce qui pouvait appartenir à ce gars sans cervelle. Les bras pleins, Aude se dirigea vers le balcon ; lorsqu'elle le vit sortir de l'immeuble, elle lui balança ses affaires :

— Eh ! ramasse tes affaires ! Quand tu tremperas ton pinceau, tu penseras à moi, pauvre con.

La queue entre les jambes, sous les regards des passants curieux, Henry s'éloigna.

— C'est ça, sauve-toi : tu cours mieux que tu ne baises.

Sans parler de son machin qui était tout riquiqui, se garda-t-elle de signaler. Aude le vit s'éloigner, sortir de sa vie.

Elle pivota sur elle-même, la colère lui montant aux tempes, puis retourna à l'intérieur. Il ne restait plus rien de lui dans le loft. Pas même les ruines de leur amour. La porte était close ; le bonheur était derrière, la solitude devant.

* * *

Marchant, dépassant tous ces gens, Aude gagna Wall Street et entra dans l'immeuble de plusieurs étages qui se dressait devant elle. Elle salua vaguement le portier, puis se dirigea vers l'ascenseur. Seule, elle tapait du pied, impatiente, dépassée par les événements – elle se trouvait tellement stupide. Elle, trompée par Henry, le pire cravaté à lunettes de New York. Ç'aurait dû être elle prise en flagrant délit. Les portes s'ouvrirent. Elle s'engagea dans le couloir. Porte 665 – Débora et Georges Lewis. Elle frappa. Les bras croisés, elle attendit. Après un moment, on ouvrit. Une belle brune, d'un certain âge, se trouvait là, observant la jeune femme, sac à main au bras, le teint enflammé, les larmes aux yeux. Elle lui sourit et se tassa pour laisser entrer sa fille. Débora referma la porte derrière elle. Elle entoura les épaules d'Aude et l'entraîna vers le sofa. La jeune femme s'y laissa tomber.

— Je lui ai balancé ses trucs par la fenêtre, tu aurais dû voir sa tête, dit Aude, séchant ses larmes, se redressant.

Sa mère lui sourit.

— Je te reconnais bien, là.

Elles pouffèrent de rire. Débora alla chercher deux cafés, les déposa devant elles.

— Le pire, c'est que...

— Que... ?

Aude leva les yeux sur sa mère.

— On aurait dit qu'il voulait se faire prendre. Chez moi ! Tu imagines ?

Aude remarqua le petit air qu'avait pris sa mère.

— Maman, à quoi tu penses ? lui demanda Aude, sachant très bien qu'une niaiserie avait probablement passé par la tête de sa mère.

Débora secoua la tête.

— Maman !

— Très bien. Sincèrement, disons que celui-là, c'était pas ton meilleur...

Aude pouffa de rire.

— Peut-être bien.

Sur ce, la porte s'ouvrit : Jamy entra et déposa sa guitare dans l'entrée. Il remarqua sa mère et sa sœur assises toutes les deux dans le salon. Il vint les rejoindre.

— Salut, Aude, lui dit-il, plein sourire.

— Salut, Ti-Cul.

Jamy lui lança un regard acéré.

— Oh, excuse-moi, Jamy, mais tu es mon Ti-Cul depuis que tu es haut comme trois pommes et tu vas toujours le rester.

Il lui fit la moue, puis se leva.

— Où tu vas ? lui demanda sa sœur.

Il regarda sa mère.

— Pratiquer.

Aude se retourna vers sa mère.

— Ah, je vois : les cours de musique portent leurs fruits.

Débora hocha la tête. Aude retint un rire, pour ne pas vexer son frère qui, étant le bébé de la famille, le dernier d'une portée de quatre, était une petite âme sensible portée à verser des larmes de crocodile.

— Tu veux que j'aille jouer avec toi ? lui proposa-t-elle.

Le visage du jeune garçon s'illumina.

— Je vais prendre ça pour un oui.

Aude se leva, puis Débora les regarda s'enfermer dans la chambre de Jamy. Par chance, cette pièce était insonorisée ! Et la femme retourna préparer le souper ; un couvert de plus serait sur la table qui, au fil des années, s'était vidée. Une fois que sa sœur et lui furent seuls, la porte fermée, Jamy sortit ses guitares, tendit la sèche à sa sœur et brancha sa Gibson. Ils prirent place tous les deux sur le lit.

— Qu'est-ce que t'as appris de nouveau depuis qu'on s'est vus ? lui demanda-t-elle en accordant sa guitare.

Il prit son livre et tourna quelques pages.

— Eh bien, j'ai dit à mon prof que j'avais le goût de jouer autre chose que des tounes de matantes.

Aude pouffa de rire.

— Alors, j'ai appris quelques morceaux des Beatles et là je pense bien me mettre au rock.

Aude acquiesça.

— Comme toi...

Elle lui sourit.

— Tu veux que je te montre ? lui proposa-t-elle.

Il hocha la tête, plein sourire. Il se rapprocha de sa sœur, tout excité.

— Alors, tu fais cet accord, puis celui-ci. Essaie-le.

L'heure passa et ils jouèrent de bon cœur, essayant plusieurs pièces, jusqu'à ce que la porte s'ouvre violemment. Se tenant là, droite comme un piquet, Ophélie, la sœur cadette d'Aude, explosait littéralement de joie. Elle se jeta sur sa sœur.

— Ma sœur !

Jamy se leva, déposa sa guitare sur son socle, puis se retourna vers la jeune fille qui se pendait au cou de leur grande sœur. Le cours semblait être terminé !

— Notre sœur, précisa Jamy.

Les deux jeunes se foudroyèrent du regard.

— Bon, dit Aude, se levant et repoussant légèrement sa sœur, on ne va pas déclarer une guerre.

Ophélie fit la moue à son jeune frère qui n'avait qu'une envie : tordre le cou de celle-ci. C'est à cet instant qu'Aude remercia le ciel que ces deux-là ne soient pas à la même école secondaire, ç'aurait été l'hécatombe. Aude tendit la guitare à Jamy, qui la rangea.

— Qu'est-ce que vous diriez d'aller rejoindre maman dans la cuisine ?

Ils acquiescèrent, sortant de la chambre du cadet. Leur frère les devançant, Ophélie agrippa le bras de sa sœur aînée et la traîna de force dans sa chambre. Une vraie petite garce, pensa Aude, réprimant un sourire. Déjà, elles entendaient Jamy se plaindre à leur mère de s'être fait rouler de la sorte par ses sœurs. Elles éclatèrent de rire. Aude prit place sur le lit de sa sœur, constatant le désordre monumental de la chambre. Elle secoua la tête. Ophélie saisit immédiatement cette expression sur le visage de sa sœur.

— Je sais, c'est encore et toujours le bordel !

Aude sourit de plus belle.

— Mais je promets que, quand on sera colocs, je vais ramasser la moindre petite chose qui traînera.

La jeune femme arqua un sourcil. Colocs... vraiment ? Elle haussa les épaules. Pourquoi pas ! Depuis qu'elle avait quitté le nid familial, Aude et sa jeune sœur s'entendaient beaucoup mieux ; à vrai dire, elles étaient probablement devenues les meilleures amies, tout le contraire de ce qu'elles avaient été plus jeunes. Un peu plus de cinq ans les séparaient : l'une en pleine crise d'adolescence et l'autre dans sa phase du non, nul besoin de dresser le portrait de famille. L'expression maligne, Ophélie s'assit près de sa sœur, encore tout émoustillée par la présence de celle-ci.

— Et puis, l'école ?

La jeune fille retroussa le nez.

— Chut ! Ne dis pas ce mot, s'il te plaît. C'est la fin de semaine. Entre les maths de *nerds* et la bio, je ne sais plus où donner de la tête. Vivement que ça finisse !

— Parlant de finir, il va falloir penser à magasiner les robes.

Ophélie frappa des mains, tout énervée.

— Quand ?

— Bientôt. Ton bal n'est qu'en juin, mais il faut y penser au printemps, sinon il ne restera plus rien.

— Quand ?

Aude leva les yeux au ciel.

— Demain ?

Ophélie, folle de joie, se leva d'un bond, franchit la porte, sautant d'excitation jusqu'à sa mère dans la cuisine et Jamy qui essorait la salade.

— Demain, Aude m'emmène faire les boutiques ! On va trouver ma robe de bal.

Débora acquiesça.

— Tu viens, maman ?

Sa mère la considéra un moment – connaissant leur mère, tout le monde savait très bien qu'elle aurait préféré mille fois être pendue par les cheveux à un pont plutôt que d'assister au supplice des boutiques, et de surcroît pour une robe… avec Ophélie, hystérique, courant d'un magasin à l'autre telle une poule pas de tête !

Débora acquiesça. Sa fille lui offrit le plus grand sourire du monde, puis retourna rejoindre sa sœur, morte de rire par cet excès de joie. Une fois de retour dans la chambre, Ophélie tendit le téléphone à Aude.

— Quoi ?

— Appelle Greg, tout le monde est à la maison pour souper, il ne manque que lui.

Elle hocha la tête, composant le numéro de leur frère.

— Allô ! Comment ça va ? Bien, merci. Tu es dans le coin ? Maman fait un souper et tout le monde est là, tu viens ? Hmm… OK, mais passe après, il va y avoir de la bagatelle ! OK, à tout à l'heure.

Elle raccrocha et déposa le combiné. Ophélie attendait.

— Il ne pourra pas être là pour le souper, il a des clients, mais il passera quand il aura fermé la boutique.

La jeune fille acquiesça, satisfaite.

— Bon, on va aller mettre la table avant que Jamy dise encore qu'il fait tout tout seul dans cette maison et qu'il nous joue la carte de l'enfant battu !

Elles rirent de bon cœur, complices. Elles rejoignirent les deux autres dans la cuisine.

Aude et sa sœur mettaient la table lorsque leur père franchit la porte. Il déposa son manteau et sa valise dans le placard, puis alla embrasser Débora.

— Je vois qu'il y a un conseil de famille pour souper ce soir.

Aude et Ophélie acquiescèrent. Tous mirent la main à la pâte, Débora tenant Aude loin du glaçage à gâteau, de peur qu'elle ne détruise son œuvre pâtissière en tentant d'y mettre sa touche personnelle. Aude avait bien des talents, mais pas celui de décorer des gâteaux. Ça, elle le laissait à sa mère. Une fois toute la famille attablée, Débora regarda son aînée qui tentait d'esquiver le regard sollicitant de sa mère.

— Allez, ne fais pas cette tête, Aude. C'est comme au jour de l'An.

La jeune femme fit la moue, puis se résigna. Elle regarda son père.

— Grrr... Tant qu'elle ne met pas sa stupide musique.

— Ma stupide musique? Tu ne parles tout de même pas de mes joyeux violons d'Acadie? Débora sourit mesquinement à sa fille.

— J'ai tout enduré, même que j'ai appris à aimer Sardou, à écouter des chants grégoriens, mais ça, c'est assez pour que je me passe une corde autour du cou!

Ophélie, Georges et Jamy pouffèrent de rire. Aude ressortait la hache de guerre, mais Débora en resta là.

— Les grâces, jeune fille.

Aude se renfrogna puis, obligée, s'exécuta.

— Papa, dis les grâces, s'il te plaît.

Son père acquiesça, croisant les mains, se recueillant presque. Il fit un clin d'œil à son fils assis devant lui.

— À vos fourchettes!

Il piqua un morceau de viande et en prit une bouchée, regardant sa femme, qui secouait la tête; elle se l'était toujours dit: elle n'avait pas quatre enfants, mais cinq! Les deux sœurs rirent, puis mangèrent; Jamy, lui, avait déjà terminé.

Ils mangèrent, discutèrent: Aude, l'instant d'un moment, avait oublié les fesses galbées d'Anitha sur sa table de cuisine. Ils allaient prendre le dessert lorsque Grégoire entra. Aude hurla:

— *Oh my fucking God!*

— Aude, surveille ton langage, lança son père. Il y a de jeunes oreilles ici.

Elle se retourna un instant vers son père.

— Attends, je n'ai pas terminé de lui en apprendre.

Jamy se cala dans son siège quand son père le darda de son regard paternaliste. Aude se leva, s'approchant lentement de son frère, n'en croyant pas ses yeux. Elle lui prit le menton, lui tournant la tête dans tous les sens.

— Eh ! Je ne suis pas un *bubblehead* ! dit Greg.

Tous les autres regardaient, attendant. Débora se leva.

— Mais vas-tu nous dire pourquoi tu hurles comme ça, Aude ?

La jeune femme se pencha vers son frère.

— Tu sais qu'elle ne va pas apprécier, hein ?

Il hocha la tête. La belle brune lui tapa sur l'épaule, question de lui donner du courage. Aude se retourna vers sa mère.

— On est deux passoires maintenant ! dit-elle, le sourire fendu jusqu'aux oreilles.

Débora se figea, puis, comme au ralenti, s'approcha de son fils.

— Greg ! Dis-moi que tu n'as pas fait ça ! Oh, mon Dieu ! Il l'a fait.

Elle se retourna vers son mari.

— Il l'a fait, Georges.

Pour sa part, Georges n'en avait rien à faire. C'était la figure de son fils, qu'il en fasse ce qu'il veut. Il haussa les épaules.

— Tu sais ce qu'on dit : majeur et vacciné...

Débora retourna s'asseoir à la table, frustrée, grande incomprise de cette famille – un peu comme Jamy. Elle servit tout de même le dessert. Une fois tout le monde assis, Aude regarda son frère.

— J'aime, ça te va vraiment bien.

— Ne l'encourage pas, toi ! Il y a assez de toi avec ton nombril, ton tatouage sur la cuisse et ton trou dans la babine ! Bientôt, je vais pouvoir tous vous accrocher sur ma corde à linge ! Vous ne pourrez même plus vous baigner, vous allez couler ! Ce sera quoi, la prochaine affaire ?

Aude regarda Ophélie, qui ne disait mot. Débora la foudroya du regard.

— Toi, t'as pas 18 ans encore, écrase !

Le sujet en resta là, puis Georges s'informa sur le travail de Greg. Cela faisait deux ans qu'il avait ouvert son salon de perçage et de tatouage, et ça avait fait un malheur dès l'ouverture. Greg exposait déjà ses œuvres d'art chez lui, ce qui lui avait permis de se faire une clientèle avant même d'ouvrir ses portes. Il avait beaucoup de clients et pensait même engager de nouveaux employés, mais il se réservait les tatouages, c'était son art qui faisait tourner son affaire et qui faisait son nom. Son premier tatouage, il l'avait expérimenté sur sa sœur aînée. Elle lui avait demandé une branche de pommier japonais en fleurs. Et depuis, il exerçait son art sur les peaux de New York.

Le souper se termina. Aude aida sa mère à ranger tandis que les autres écoutaient Jamy qui jouait dans le salon. Aude avait les mains dans l'eau quand Jamy l'interpella :

— Aude.

— Quoi ?

— Viens jouer.

Elle lui montra les gants à vaisselle dégoulinants. Débora lui donna une petite claque.

— Allez, va jouer, ta mère va ramasser.

Aude retira ses gants, puis alla chercher la guitare sèche. Elle s'assit près de son jeune frère.

— On joue quoi ?

— Ce que tu veux.

Aude réfléchit un instant. Elle lui fit un clin d'œil.

— On va jouer quelque chose de circonstance. Tu vas faire la basse, parce que ça serait trop long de t'apprendre les accords barrés à la guitare électrique.

Aude se retourna vers Greg, avachi sur le divan.

— Va dans sa chambre, laisse la porte ouverte et mets-toi à la batterie.

Il acquiesça. Elle montra les tablatures de basse à Jamy et dit à Ophélie de venir prendre place sur le bras du divan près d'elle. *Stronger* de Clarkson. Aude gratta les cordes, Greg rythma, le dernier ajouta ses notes et la jeune femme chanta, accompagnée d'Ophélie qui, pour une fois, connaissait une chanson que sa sœur chantait !

La soirée s'éternisa de morceau en morceau. Puis, vint le temps de tout ranger : il était tard. Débora offrit à Greg de rester dormir, sa chambre était toujours la sienne, mais il préféra rentrer ; il travaillait le lendemain et avait toujours beaucoup de clients le samedi. Ophélie supplia sa sœur à genoux de rester dormir ; de toute manière, elles allaient magasiner le lendemain matin – oui, car la demoiselle avait décidé que c'était le matin qu'elles iraient magasiner, rien de moins ! Finalement Greg rentra chez lui, Débora et Georges prirent une dernière coupe de vin, puis gagnèrent leur lit, tandis que Jamy tentait, faisant les yeux doux, de s'incruster dans la chambre d'Ophélie qui rechignait, mais qui céda tout de même. Le cadet alla chercher un matelas gonflable et ils discutèrent tous les trois, une partie de la nuit, jusqu'à ce qu'ils s'endorment tous, Ophélie se rendant compte qu'elle seule ne dormait pas encore.

L'odeur du café réveilla Aude. Elle leva la tête vers la porte de la chambre entrouverte, d'où perçaient les rayons du soleil. Elle échappa un bâillement, se frotta les yeux, puis regarda Jamy qui dormait, étendu telle une étoile sur le sol. Elle réprima un sourire. Elle se tourna vers sa sœur qui dormait à côté d'elle sous trente couvertures : elle adorait s'enterrer pour dormir ! Aude poussa sa sœur, la brassant pour qu'elle se réveille. Pas question aujourd'hui de faire la grasse matinée. Elle voulait aller magasiner, elles iraient. Ophélie grogna.

— Aude !

Sa sœur continua de la brasser. La jeune fille ramassa son oreiller et le balança en pleine poire à sa sœur. Jamy se réveilla, regarda ses sœurs se chamailler dans le lit, secoua la tête, encore endormi. Il se leva, ramassa sa couverture et sortit de la chambre sans que ses sœurs s'en rendent compte. Il salua de la main Débora assise à la table, prenant son café, et alla s'étendre sur le divan du salon, s'emmitouflant. Il se rendormit. Débora sourit. Décidément, rien ne changeait dans cette maison. Quelques secondes plus tard, Georges sortit de leur chambre, serrant sa robe de chambre autour de sa taille, venant rejoindre sa femme. Il tira la chaise, s'assit à ses côtés et jeta un coup d'œil au cadet qui dormait sur le divan, puis posa les yeux sur Débora qui prenait une gorgée de café.

— Quoi ? lui demanda-t-elle.

Il se frotta le front.

— Rien.

Débora haussa les épaules, se leva et se dirigea vers le comptoir, tenant une tasse de café à la main ; elle la tendit à son mari qui la remercia d'un sourire. Il regarda son fils dormir.

— On fera quoi ?

— Hein ?

— On fera quoi quand ils seront tous partis ? lui demanda-t-il.

— Ils ne partent jamais bien loin, lui répondit-elle, souriant pour elle-même.

— En fin de compte, on est passés à travers, dit-il, regardant sa tasse.

— Je pense bien. Quatre beaux enfants en santé, qui se dessinent un chemin différent mais qui ne s'éloignent jamais les uns des autres. Quoi qu'il arrive, quoi qu'il nous arrive, je sais qu'ils seront toujours là pour s'appuyer, pour traverser les moments difficiles. Les portes de l'enfer, ils les franchiraient ensemble et ils en reviendraient main dans la main.

À cet instant, les filles apparurent dans le salon, remarquant leur jeune frère, tel un corps mort sur le divan. Elles rirent. Aude poussa sa cadette vers la cuisine.

— Chut !

Ophélie acquiesça et elles rejoignirent leurs parents, les cheveux en pagaille tels des nids d'oiseaux ; elles auraient dormi dans la rue avec les chats de gouttière, elles auraient eu l'air moins dépareillées. Leur mère les considéra.

— Grosse nuit ?

Elles se frottèrent les yeux, bâillant. Aude se gratta le fond de la tête.

— Je crois que le magasinage va s'avérer plus long et ardu que prévu.

Ophélie tendit le bras et prit un croissant sur la table.

— Tu ne crois pas si bien dire, confirma-t-elle, prenant une bouchée.

Georges rit. Ils déjeunèrent, puis les deux sœurs regagnèrent la chambre. Ophélie ouvrit sa garde-robe.

— Sers-toi. Je ne veux pas te voir avec tes guenilles.

— Pardon ?

Aude baissa les yeux sur son vieux jeans taille basse et son chandail ajusté d'un groupe dont Ophélie ne connaissait rien et dont elle ne voulait rien savoir. Disons que les deux sœurs, quoique très proches, avaient des goûts très différents, que ce soit pour la musique, les vêtements et, surtout, les garçons !

— On s'en va magasiner des robes de bal, c'est une journée « mademoiselle », pas *hard rock* !

Aude secoua la tête, mais se fit à l'idée que sa sœur ne dérogerait pas. C'était sa journée.

— Bon, comme j'ai le choix.

Elle se leva et s'approcha de la penderie pleine à craquer. Elle prit une camisole rose et une jolie veste, mais ne concéda pas son jeans, pas question de mettre ces affreux jeans couleur bonbon qui étouffaient les mollets ! C'était au tour de la cadette de secouer la tête : décidément, sa sœur ne changerait pas ! Aude se retourna.

— Bon, est-ce que c'est assez rose bonbon pour mademoiselle la princesse d'Angleterre ?

Ophélie roula des yeux, se leva et fit asseoir Aude devant le miroir, alluma le fer plat et commença à aplatir les belles boucles brun chocolat de sa sœur. Un peu de changement ne tuait personne. Pendant ce temps, la jeune femme s'observait dans le miroir. Il ne restait plus grand-chose de son maquillage de la veille. Elle s'empara du crayon noir sur le bureau et refit la ligne qui définissait ses cils, puis les gorgea de mascara. Ophélie déposa son fer, alla se changer, et elles furent fin prêtes pour la grande débandade : trouver *la* robe de bal. Celle que l'on n'irait pas se faire rembourser, une fois entrées dans une autre boutique. Celle qui faisait d'elles des princesses pour un soir et qui, une fois le soleil levé, leur coiffure abîmée et leur maquillage envolé, ne les empêchait pas de redevenir toutes d'innocentes cendrillons de la société. Elles prirent leur sac à main et allèrent attendre leur mère dans le salon. Aude regarda en direction de la cuisine : il restait du café ! Elle se leva, prit une tasse, en versa, puis but à grosses gorgées. Elle revint vers sa sœur.

— Maintenant, on peut y aller.

Ophélie grimaça. Débora vint les rejoindre. Elle prit ses clés.

— On y va ? leur demanda-t-elle.

Les filles acquiescèrent. Elles sortirent toutes les trois, descendirent au stationnement souterrain et prirent place dans la Audi noire. Ophélie déroba la place avant, laissant sa sœur sur la banquette arrière. Aude regarda les voitures, les immeubles à étages, pendant qu'Ophélie tentait par tous les moyens de changer de poste de radio. Débora traversa plusieurs intersections pour finalement aller se garer en parallèle. C'est à cet instant qu'elle se demanda pourquoi ils avaient quitté leur petit patelin pour venir s'engouffrer avec autant de monde, de béton et de lumières. Elles sortirent de la voiture et se dirigèrent vers l'une des boutiques.

Après plusieurs portes de boutiques franchies, des tonnes de robes essayées et une interminable quête princière, Ophélie sortit de la salle d'essayage. Débora et Aude levèrent les yeux, le sourire fendu jusqu'aux oreilles d'émerveillement. Wow ! Le supplice était bel et bien terminé. Ophélie portait une superbe robe verte et violette ajustée. Rien de trop princesse, mais de toute beauté. La chaussure, tout était parfait. La jeune fille tapa des mains, tout excitée.

— Cette fois, c'est la bonne !

Aude se leva.

— Pas de doute.

Elle s'approcha de sa sœur. La fit tourner. Tout tombait juste. Un vrai petit bijou. Ophélie retourna enfiler ses vêtements. Elles allèrent payer le tout, puis elles sortirent, déposant les achats dans le coffre. Aude allait prendre place dans la voiture quand elle remarqua que sa mère et sa sœur restaient sur le trottoir à l'observer, les bras croisés.

— Quoi ? demanda-t-elle.

Ophélie prit son petit air – celui qui, chaque fois, rappelait à Aude que sa sœur était une vraie princesse sortie des contes de Disney.

— On n'a pas terminé les emplettes.

La jeune femme arqua un sourcil, regarda sa mère qui souriait, s'amusant de la situation.

— Il n'y a pas juste moi qui ai besoin d'une robe.

Aude écarquilla les yeux. Elle, porter une robe ? Dans ses rêves, oui.

— Si tu penses que tu vas me faire porter une robe, tu te mets le doigt dans l'œil.

— Aude, surveille ton langage, l'avertit Débora.

Aude leva les yeux au ciel. Qu'est-ce qu'elle avait fait au bon Dieu pour mériter un tel supplice ?

— Oui, maman.

Tel un chien piteux, la queue entre les jambes, elle vint rejoindre sa sœur, qui la tira par le cou. Aude leva les yeux. La plus grosse boutique BCBG (bon chic bon genre) se dressait devant elle. C'est quasiment en s'agrippant au cadre de porte que la jeune femme se retint, tirée par sa sœur et sa mère. Elle détestait tellement ces boutiques, elle trouvait qu'on aurait plutôt dû les appeler les BTMSTR (bien tant mieux si t'es riche !). Une fois à l'intérieur, la jeune femme suivit de loin Débora et Ophélie qui s'étaient rapidement dirigées vers le rayon des robes. Aude fit le tour de quelques rangées, avant de s'arrêter devant un mannequin sans tête ni jambes, sur lequel reposait une toute simple et délicate robe noire. Une ceinture faisait le tour de la taille, se terminant en une boucle à l'avant. Débora et Ophélie rejoignirent la jeune femme silencieuse. La cadette sourit à sa sœur.

— Toi aussi, tu vas être une princesse.

Aude lui fit une grimace.

Aude alla essayer la robe, fit quelques tours devant son jury. Puis, vint le moment de passer à la caisse, d'officialiser la chose. Les trois femmes se dirigèrent ensuite vers la voiture. Une fois assises, elles soufflèrent un peu – c'était du sport! Débora démarra et, en peu de temps, elles furent de retour au quartier général des Lewis. Elles montèrent les sacs, puis mangèrent un morceau. Ophélie alla ranger sa robe, ses bijoux et ses talons hauts. Georges était parti reconduire Jamy à sa partie de football. Aude se leva, puis décida qu'il était temps qu'elle retourne chez elle. Elle alla voir sa sœur.

— Je rentre. J'ai des trucs à faire et maman m'a dit que tu avais des tonnes de devoirs à terminer.

Ophélie grimaça. Aude rit. La cadette se leva, enlaça sa sœur, puis relâcha son étreinte.

— Fais attention à toi.

Sa sœur acquiesça.

— Compris, lui répondit-elle, un sourire en coin.

Ophélie regarda sa sœur passer la porte.

— Hé!

Aude se retourna.

— L'automne prochain, on va frôler toutes les pistes de danse des clubs de New York.

La belle brune lui fit un clin d'œil.

— Ça, c'est certain!

Ophélie rit.

— Allez, débarrasse avant que je t'attache à mon lit.

— Oui, j'aimerais bien voir ça.

Elles rirent et Aude se dirigea vers le hall d'entrée. Elle alla embrasser sa mère.

— S'il revient frapper à ta porte...

— Je peux te jurer qu'il ne reviendra pas.

Débora soupira et sourit.

La jeune femme sortit, refermant la porte derrière elle. Elle descendit à l'étage, saluant le portier. Une fois à l'extérieur, Aude regarda la nuit qui tombait. Les étoiles étaient bien loin, dans les prés. Loin des lumières, loin du monde. Elles brillaient dans le silence. Elle aurait voulu les voir, mais elles se terraient loin des hommes. La belle brune traversa la rue, direction le loft. Elle croisa bien des visages dont elle ne remarqua même pas le rouge qui leur saisissait les joues par cette soirée d'octobre. Celle où les feuilles abandonnent leurs racines pour mourir à même le sol, pavant d'orangé les rues de la lumineuse cité.

Une fois dans la chaleur de son chez-soi – souillé par la cupidité, l'indécence humaine –, elle alluma, illuminant son salon. Elle considéra un moment seulement les quatre murs sur lesquels reposait le toit qui la protégeait du froid, des intempéries, lui offrant un havre de paix où se réfugier. Un petit trou de souris où elle pouvait se faire oublier du monde l'instant d'un moment, souffler un peu.

Aude regarda l'horloge au mur : 19:57. Elle avait amplement le temps de se préparer pour une petite virée. Les portes des bars lui étaient toutes grandes ouvertes. La jeune femme balança son sac à main et se dirigea vers la salle de bain. Elle fit couler l'eau, se déshabilla et sauta dans la douche, appréciant l'eau chaude sur sa peau. Elle mouilla ses cheveux, se détendant un peu. Elle ferma l'eau et sortit, enfouissant ses cheveux dans une serviette, ses pieds dans le tapis en minou vert fluo – genre très laid mais tellement doux !

Elle chassa de la main la buée qui recouvrait le miroir. Elle s'observa un instant. De longues boucles brunes, les yeux marron, le teint pâle. Elle se frotta le visage, puis regarda de nouveau son reflet. Elle sourit amèrement : elle pouvait bien être blême comme une pinte de lait. Elle passait ses journées dans un bureau à lire des pseudo-romans de pseudo-auteurs potentiellement rentables et une fois le soleil couché, elle passait de longues heures la nuit à penser, à composer, à oublier. Elle passa la main dans ses cheveux pour dégager son visage, soupira, puis observa le maquillage qui encombrait le comptoir. Fond de teint, fard à joues – juste un peu –, trait noir pour souligner la courbe de ses yeux, mascara et, le plus important, *gloss* –, sa sœur serait fière d'elle ! Elle pinça les lèvres, posa un dernier regard critique, puis ramassa sa tignasse en une belle queue de cheval, qu'elle se résigna à défaire. Chaque fois, c'était la même histoire : le maquillage, la coiffure, les vêtements. Jamais elle ne se sentait *la* femme. Celle que tous regarderaient une fois la porte passée. Un dernier coup d'œil vers la glace, un haussement d'épaules, pour se convaincre qu'elle ne devait pas être la seule qui s'en imposait autant. Elle sortit de la salle de bain, où il faisait une température agréable, pour s'engouffrer dans le froid de sa chambre. Vêtue d'une simple serviette couvrant son corps, elle ouvrit les portes de sa vaste garde-robe : autant de vêtements, si peu d'estime de soi. Elle passa de longues minutes à tasser de droite à gauche nombre de vêtements, avant de s'arrêter sur son jeans noir préféré et son bustier blanc. Ce serait parfait.

Assise sur son lit, elle se retourna vers sa table de chevet, ouvrit le coffre et en sortit boucles d'oreilles, bagues, colliers et bracelets. Peut-être n'avait-elle pas le goût de dévoiler la moindre parcelle de son corps, mais elle avait un faible pour les parures, entre autres les bijoux. Une fois prête, elle se dirigea vers la cuisine, prit quelque chose à se mettre sous la dent et s'adossa au comptoir, jetant un bref coup d'œil au vaste espace qu'était son loft. Une dernière bouchée, et elle était en route. Le sac à main, le manteau, puis Aude se retrouva dans l'escalier. Une fois en bas, elle salua le gardien, puis sortit dans le froid de New York.

Ses cheveux encore mouillés, elle frissonna. Aude serra le col de son manteau contre elle et enjamba le pas à la suite de tous ces inconnus qui progressaient dans la nuit, qui donnaient le pouls à la vie nocturne de la Grosse Pomme. 22 h 45. Bientôt, les bars seraient pleins à craquer, débordant de corps entrelacés partageant piste de danse et musique enivrante. Elle décida d'aller faire un tour au salon de tatouage de son frère. À cette heure, il y serait toujours, continuant l'énorme fresque murale. Cette grande âme solitaire qu'était Grégoire avait toujours été à part de tout le monde. Il ne partageait son monde qu'avec quelques privilégiés, dont Aude. Elle arriva enfin. Les lumières du salon éclairaient la rue. La jeune femme se planta devant la fenêtre : elle vit son frère assis sur le comptoir de la boutique, en compagnie d'une belle blonde plantureuse. Aude sourit mesquinement – finalement, cette visite pouvait attendre !

Elle fit demi-tour et se dirigea vers les artères principales, là où ça grouillait de monde, où les sangs commençaient à s'échauffer. Lorsqu'elle s'arrêta, deux bars surplombaient, se dressant l'un en face de l'autre : le Max's Club et le Claw's. Il y en avait vraiment pour tous les goûts. D'un côté, c'était le latino des chaudes journées d'été et les rythmes endiablés ; de l'autre, tout ce qui grouillait dans l'ombre, les *piercings*, les tatouages, bref, comme aurait dit sa sœur Ophélie : les pouilleux de métaleux ! Aude se surprit à sourire, constatant une fois de plus à quel point elle ne partageait pas le moins du monde les mêmes goûts que sa sœur en matière de garçons. Quel côté de la rue choisir ? Elle ne savait trop si elle avait envie de se défoncer sur la piste de danse ou d'écouter un bon groupe. Déjà du côté du Max's Club, elle haussa les épaules et se dirigea vers le portier, qui lui sourit, la laissant passer devant la bande de petites filles prépubères qui tentaient d'entrer avec leur fausse carte. Elle traversa le hall d'entrée plongé dans une noirceur tamisée. Elle fit son entrée dans la vaste salle explosive de lumières. Sur la scène, un groupe offrait une performance des plus ordinaires, mais bon, après quelques verres, qui verrait la différence ? Aude jeta un bref coup d'œil autour, tendit son manteau au jeune homme au style punk qui s'occupait du vestiaire. Il lui remit son numéro. Elle le remercia, même s'il était probable qu'il n'ait rien entendu, vu le volume percutant de la basse.

Elle balaya la salle : elle se serait crue des années en arrière, au temps des croisades. Les cheveux longs étaient à l'honneur. La jeune femme s'avança, se rapprochant du bar. Elle fit signe au barman de lui apporter quelque chose. Il revint, lui servit une bière. Elle le paya, puis se retourna, dos au bar, adossée, regardant vers la scène. Même si ce n'était pas au point, Aude savait apprécier ce style musical, tout comme les musiciens un peu réchauffés qui, malheureusement, dans ces conditions, n'étaient pas au sommet de leur art. Lorsqu'elle se retourna, elle remarqua un groupe d'hommes assis à une table, la fixant. C'est alors qu'elle reconnut le propriétaire, Maxence Howard. Le riche et célèbre propriétaire de ce bar, mais par-dessus tout, gérant artistique des *For Ladies*, groupe qui faisait un malheur partout dans le monde. Leur dernier album tournait sur toutes les radios. Elle le surprit à l'observer. Elle détourna le regard : des mecs dans le genre, pleins aux as, à qui toutes les paires de seins se frottaient... trop peu pour elle. La musique s'arrêta. Un autre groupe monta sur scène. Des criards, comme elle les appelait. S'il y avait bien un genre de musique dont elle détestait les mélodies, c'était bien lorsque le pseudo-chanteur s'époumonait sur scène à force de hurler tel un porc égorgé même si, à y réfléchir sérieusement, elle détestait probablement davantage le style *Emo* de ceux qui s'ouvraient les veines sur scène, partageant leur souffrance d'artiste incompris de ce monde. Elle déposa sa bouteille et, déjà écœurée par les quelques lamentations du chanteur, déçue par l'ambiance et les performances musicales, elle décida de partir : il restait toujours le Claw's où elle pouvait aller se déhancher. Elle ramassa son manteau, saluant une fois de plus le jeune homme, puis passa les portes. La belle brune allait faire un pas vers la rue lorsqu'elle entendit derrière elle :

— Assez décevant.

Elle s'arrêta, se retourna et considéra l'homme adossé au mur, fumant. Grand. Très grand. Les épaules larges comme un camion.

— Pardon ? lui demanda-t-elle, s'approchant.

— Décevant, le spectacle de ce soir.

Elle hocha la tête, faisant la moue.

— Disons qu'on est loin de nos classiques, affirma-t-elle, souriant d'amertume.

Il y eut un silence. Que dire à un inconnu, à minuit le soir ?

— Bon, j'y vais, bonne soirée.

Elle allait emboîter le pas.

— Attendez.

Elle se retourna. Il lui tendit sa carte professionnelle. Elle la prit, réticente.

— Ils cherchent un guitariste. Demain, 15 h tapantes.

Elle arqua un sourcil.

— Vous donnez ça à tous ceux qui sortent du bar ? Parce que si c'est oui, il va y avoir du monde et ce ne sera pas de tout talent ! dit-elle en riant.

Il lui rendit son sourire.

— Non, juste à ceux qui en valent la peine.

Il lui fit un clin d'œil. Mais quel ringard, celui-là ! Même s'il avait une belle gueule. Très belle gueule. Elle hocha la tête.

— Et vous devinez ça par le divin pouvoir ?

— Non, j'observe, c'est tout.

— Et comme ça, j'ai l'air d'être guitariste ?

Il hocha la tête.

— Dans le mille !

Elle lui sourit.

— Je vais y penser.

Elle le remercia, puis traversa la rue. Elle allait rentrer dans l'autre bar lorsqu'elle vit tous ces messieurs musclés. Elle eut presque un haut-le-cœur. DOUCHEBAGS ? Pas question ! Même le meilleur son de New York ne valait pas de se faire tripoter les fesses par les pires crétins de la Grosse Pomme ! Elle opta pour le retour chez elle.

Lorsqu'elle vint pour tourner dans une petite rue, elle dut faire un détour, celle-ci étant fermée pour des travaux. Quelques rues plus loin, elle s'engouffra dans une ruelle mal éclairée. Elle fit quelques mètres, puis entendit des pas précipités.

Deux hommes couraient dans sa direction. La belle brune eut à peine le temps de se retourner qu'elle aperçut le premier se ruer sur elle. Aude lui assena un violent coup de sac à main sur la tête. Saisi, l'homme jura, puis s'attaqua à elle de plus belle, cette fois-ci aidé de son complice. Ils la poussèrent contre le mur de briques ; pendant que l'un vidait son portefeuille, l'autre la tripotait, tentant de détacher son jeans. Aude hurla et lui donna un coup de tête. L'homme recula, se saisissant le nez à deux mains. L'autre se releva et rattrapa la belle brune qui tentait de fuir, de sortir de cette ruelle de la mort. Il l'agrippa par le jeans et la fit tomber. Une fois sur elle, il la força à se retourner, tandis qu'elle se débattait avec le peu de force qui lui restait. Celui-ci la saisit par les épaules et la secoua violemment ; sa tête heurta durement le sol. Un haut-le-cœur envahit la jeune femme qui sentit son corps l'abandonner, tout devenant flou et confus. Elle sentait les mains de son agresseur sur elle. Étourdie, elle perdait doucement contact avec la réalité, pendant que ces pattes sales farfouillaient dans son buste – non mais, pas de gêne ! Décidément, les crétins n'étaient pas tous sur la piste de danse du Claw's.

Aude secoua la tête, reprenant ses esprits. C'est alors qu'elle aperçut une pierre près d'elle. Un peu de plomb dans la tête ne lui ferait probablement pas de mal à celui-là ! La jeune femme s'étira, saisit la roche et avant qu'il ait le temps de s'apercevoir que sa victime s'était dangereusement armée, il la reçut en pleine tronche. L'homme tomba sur le sol, le front fendu d'un bord à l'autre. Aude réussit à se redresser sur ses coudes et vit l'autre, trop occupé par son sac à main – évidemment, le cellulaire intelligent tant convoité était dans le bordel du sac à main ! La belle brune se releva, reprit sa pierre. Elle fit quelques pas puis, lorsqu'elle fut à quelques mètres, la lui lança à la tête. Il hurla de douleur. Aude s'approcha, ramassa son sac, puis la pierre. L'agresseur agressé la considéra avec horreur. Elle le menaça de sa pierre. Tremblant, il lui tendit son portefeuille. Elle pivota et s'éloigna. Lorsqu'elle passa devant celui qui était toujours inconscient, elle se retourna vers le second, toujours assis par terre, se massant la tempe.

— Hé ! Tu diras à ton pote, si jamais il se réveille, qu'il ne passe pas sur Wall Street. J'habite au 10e étage, il se pourrait qu'il pleuve des roches !

L'homme acquiesça nerveusement. Aude s'en alla, secouant la tête. Voilà ce qui arrivait dans les sociétés où l'éducation était un luxe que personne n'avait les moyens de se payer. Lorsqu'elle sortit de la ruelle, elle décida de prendre un taxi.

CHAPITRE 2

En sol mineur

Elle verrouilla la porte du loft, alluma toutes les lumières. Si elle avait eu des bougies, elle les aurait probablement aussi allumées. La jeune femme laissa tomber son sac par terre et se dirigea vers le sofa, où elle se lova. Elle ferma les yeux et soupira de soulagement. Elle regarda le vaste espace devant elle, puis retourna chercher son sac à main, qu'elle déposa sur l'îlot de la cuisine. Aude fouilla pour y trouver son cellulaire – elle le cherchait toujours ! Ça et ses clés ! C'était l'histoire de sa vie, mais elle tomba sur la petite carte professionnelle que lui avait donnée l'homme à la carrure impressionnante à sa sortie du bar.

Les For Ladies recherchent guitariste
Auditions le samedi 30 octobre
15 h
Présentez-vous avec votre guitare
Préparez la chanson de votre choix
Chant – un atout

La belle brune retourna la carte dans tous les sens, hésitante. Elle haussa les épaules. Guitariste ? Pourquoi pas ? Elle regarda en direction du salon où ses guitares étaient accrochées au mur. Quelle chanson ? C'était décidé : elle irait. Elle avait un peu de temps à tuer et elle en avait assez de travailler dans cette maison d'édition qui ne publiait que des auteurs bidon ou hautains. Aude se leva, alla se chercher une bouteille d'eau et gagna le salon. Elle prit une gorgée qui descendit bien, ce qui fit cesser ses tremblements dus à l'attaque dans la ruelle, puis déposa la bouteille sur la table basse, se dirigeant vers ses maîtresses : Gibson, Fender et Tennessee. Elles et Aude avaient traversé nombre de nuits ensemble. Elle les caressa toutes les trois du bout des doigts: laquelle choisir? L'électrique, l'acoustique ou la classique? Là était la question! Après quelques minutes de réflexion, elle opta pour l'acoustique. Elle la prit, passa la ganse et commença à gratter les cordes. Qu'est-ce qu'elle jouerait? Chanterait-elle? Elle allait renoncer par manque de temps – vendredi matin, on était vendredi – lorsqu'elle décida qu'elle jouerait la chanson qui passerait au moment où elle ouvrirait la radio.

«And I stare at the phone and he still hasn't called.
And then you feel so low, you can't feel nothin' at all.»

Il ne manquait plus que ça. Du Taylor Swift, et au piano en plus de ça! Eh bien, il fallait s'y mettre! Elle n'avait aucune autre idée. Elle ouvrit son portable sur le sofa et téléchargea les partitions et les paroles, puis commença quelques accords. Les minutes, les heures passèrent; Aude leva les yeux et remarqua qu'il devait bien être 4 heures du matin. Elle n'avait toujours pas dormi. Elle se leva, déposa sa Fender, et sauta dans la douche. Une fois séchée, elle alla s'assoupir un moment, prenant soin de mettre son réveil. Elle venait à peine de mettre la tête sur l'oreiller qu'elle eut l'impression que celui-ci avait sonné au même moment. Elle se réveilla en sursaut, vit l'heure et se donna un coup de pied aux fesses. Elle enfila son fameux jeans noir et choisit une simple veste à carreaux bleu et blanc, un peu de maquillage, question de masquer la fatigue, brillant à lèvres, et la voilà qui se dirigea vers la porte. Elle sortit, se rendit compte qu'elle était pieds nus, sans guitare ni sac à main. C'était bien elle! Tellement perdue... il fallait parfois lui rappeler qu'elle était sur la terre. Elle retourna à l'intérieur, enfila ses bottes de salope, comme aurait dit sa sœur qui, pourtant, en avait aussi une paire, prit son sac, la carte professionnelle et son pic sur le comptoir, serra sa Fender dans un étui et la passa à son épaule. Une fois dehors, elle verrouilla sa porte, c'était l'une des rares fois qu'elle n'oubliait pas de le faire.

Direction Times Square. Elle traversa quelques rues, puis arriva enfin. Il y avait une bonne file, que des hommes et leur guitare. Elle se mit en ligne. Les gardiens les firent entrer rapidement. Une fois à l'intérieur, on leur fit signe de prendre place devant la scène, sur laquelle était assis le groupe qui observait les nouveaux arrivants, dont l'homme qui lui avait donné sa carte. Une fois tout le monde bien installé, les gardiens adossés aux murs, un homme se leva et s'avança sur scène. Grand, cheveux châtains, il avait quelque chose de majestueux. De lui se dégageait une grande énergie. Il prit la parole.

— Bonjour à tous et à toutes, dit-il en fixant Aude, toutes les têtes se tournant vers elle, la seule ayant une poitrine – même s'il y avait bien ce gros guitariste qui devait mesurer 7 pi et peser 375 lb, qui lui aussi en était doté. Vous avez tous été invités, chacun, à venir auditionner pour le groupe For Ladies dont je suis le gérant. Mes hommes vous distribueront un numéro pour désigner l'ordre dans lequel vous passerez. Vous pouvez regarder, aller prendre un verre, parler avec vos confrères. Personnellement, ça ne me dérange pas, nous sommes ici pour trouver notre nouveau guitariste. Sur ce, amusez-vous et épatez-nous.

Il baissa la tête en guise de salutations, ce qu'Aude trouva très étrange, mais il y avait dans ce monde des gens dont l'ego était immense, alors elle se contenta de hausser les épaules et d'observer la mouvance des gens dans la salle.

Bien entendu, la belle brune reçut le dernier numéro, question d'aiguiser sa patience. Elle fit avec et resta assise, observant les candidats. L'aiguille de l'horloge fit un, puis deux tours, les guitaristes se succédant ; aucun ne chantait – à part quelques-uns qui hurlaient leurs tripes, ce qu'on ne pouvait définir comme du chant – et presque tous avaient exécuté un solo électrisant et très technique appartenant au métal pur. Quand vint le tour d'Aude, il ne restait que les gardiens et les serveuses qui se préparaient pour la soirée, ainsi que le groupe. On l'appela et elle monta sur scène. Elle sortit sa guitare, s'installa et attendit.

— Ton nom ? lui demanda ledit Maxence, sans même la regarder, notant déjà des choses sur la fiche – ça partait bien !

Elle en était certaine, cette maudite veste lui coûterait ce contrat de guitariste.

— Aude.

— Aude qui ?

— Aude.

Il la considéra gravement.

— Très bien : Aude Toutcourt. Et Aude, tu vas nous jouer quoi... avec ton acoustique ?

C'est là qu'elle sentit la gêne, voire la honte, s'emparer d'elle. À quoi avait-elle pensé ? Une guitare sèche pour un groupe de métal.

— *Forever and Always*, de...

— Taylor Swift ! l'interrompit celui qui semblait être le chanteur, assis à la droite du gérant.

Ils haussèrent tous les épaules, se concertant du regard. Le rouge des joues de la belle brune devint mauve, elle pensait perdre connaissance. Et puis, l'orgueil fut appelé en renfort ! Elle se renfrogna et se dit en son for intérieur qu'elle n'était pas venue pour rien et qu'elle allait jouer sa *maudite* pièce. Ils n'auraient qu'à rire, voilà tout.

— Quand tu veux, Aude, lui dit Maxence qui se cala dans son siège, l'observant, les mains jointes.

Elle gratta quelques cordes, attaquant l'introduction, puis se lança. Elle n'eut le temps de chanter qu'une ligne qu'on l'arrêta. Les membres du groupe regardèrent leur gérant, la main levée. Aude serra des dents. Quel culot ! Il pouvait bien aller se faire voir. La jeune femme allait se retourner pour ramasser son matériel lorsqu'il fit signe à un homme dans le fond de la pièce. Une lumière s'alluma, illuminant la scène. Un énorme piano à queue comme dans les films se dessina. Aude eut un regard interrogatif.

— Il me semble que cette pièce, à l'origine, est pour piano. Je me trompe ?

Elle hocha la tête.

— Eh bien, joue-la au piano !

Aude regarda les membres du groupe, tous aussi surpris qu'elle.

— Je peux bien, mais ce n'est pas un guitariste que vous cherchez ?

— Si tu arrives à jouer du piano et à chanter en même temps, on aura trouvé notre homme. Bon, disons notre femme.

Elle arqua un sourcil, haussa les épaules, déposa sa Fender dans son étui et alla s'installer au piano.

Elle posa les doigts sur les touches; les notes vinrent d'elles-mêmes, puis la mélodie, les paroles. C'était comme si le temps s'était figé. Ils la laissèrent terminer, puis la jeune femme se retourna vers eux. Elle eut pour seule réaction un lourd silence. Elle les sollicita du regard, puis remarqua le large sourire qu'arborait Maxence. Elle trouva cela étrange; on aurait dit qu'il n'était pas surpris le moins du monde, comme l'homme qui lui avait donné la carte d'ailleurs. La belle brune se leva, décidant de les sortir de leur stupeur. Ils se redressèrent et regardèrent de concert Max, qui tapait du crayon sur la table. Lisant l'impatience chez les membres du groupe, il se leva, amusé.

— Eh bien, on dirait qu'on a trouvé la perle rare.

Il se mit à applaudir, et tous se levèrent et se mirent à taper des mains eux aussi. Les pommettes rouges, Aude reçut humblement cette acclamation.

— Mademoiselle Aude Toutcourt, dit-il, soulignant ses mots, nous avons un spectacle ce soir, ici même, et tu seras de la soirée. Rendez-vous à 19 h tapantes pour pratiquer et mettre au point le spectacle.

Elle acquiesça, allant refermer l'étui de sa guitare. Max se prépara à partir, puis se retourna vers la jeune femme qui ramassait ses affaires.

— Oh, j'oubliais: quelque chose de plus... de plus *toutcourt* serait de mise comme habillement.

— Évidemment, lui répondit-elle, un peu gênée.

Où était parti Max? Aucune idée, Aude ne l'avait même pas vu quitter la scène.

— Ne fais pas attention à ses commentaires, dit celui qui semblait être le bassiste du groupe, car tout le monde sait que les bassistes ont ce petit style bien à eux: cheveux noirs, *piercing* à la lèvre inférieure, comme Aude, mais lui avait plutôt un anneau qu'un diamant, et une manche tatouée.

Il s'approcha d'elle et lui tendit une énorme reliure à anneaux. Aude le regarda.

— Prends-la, c'est notre bible.

Elle sourit, puis hocha la tête. Leur bible. Elle était bonne, celle-là !

— Ce sont toutes vos partitions ?

Il lui fit un clin d'œil, lui tendant la reliure, et il s'éloigna. Les autres vinrent l'accueillir au sein du groupe, se présentèrent, puis la laissèrent partir, question qu'elle aille se préparer. Elle les remercia et quitta le bar, guitare à l'épaule. Elle franchit la porte, puis sursauta quand on s'adressa à elle. Elle se retourna. Max était là, adossé contre le mur du bar.

— Tu ne devrais pas te promener seule le soir dans ces rues.

Aude arqua le sourcil. Elle pensa à l'événement de la veille.

— On s'arrangera pour te faire raccompagner après la soirée.

— Pourquoi pas !

Elle reprit sa route.

— On se voit tout à l'heure. N'oublie pas : 19 h tapantes.

Elle lui envoya la main, lui faisant dos, continuant son chemin. Il y avait quelque chose chez ce Max qui l'irritait. Elle n'aurait su dire quoi, mais sa simple présence le rendait désagréable.

Une fois chez elle, Aude verrouilla la porte, alla tout déposer, échangea sa Fender pour sa Gibson, et le petit rituel commença : supplice du miroir et de la garde-robe. Ce soir-là, le fouet aurait été plus doux. Quoi se mettre sur le dos ? Finalement, elle se convainquit d'enfiler cette robe, typique des groupies de Bret Michaels, le chanteur du groupe-culte Poison : elle la trouvait trop courte, trop ouverte dans le dos, elle n'avait jamais osé la porter. Elle laissa descendre le tissu contre sa peau. La jeune femme enfila ses bottes de salope – petite pensée pour sa sœur –, puis mit quelques bijoux pour tenter d'oublier que chaque fois qu'elle se pencherait, tout le monde verrait la moitié de son postérieur !

Chapitre 3

Spotlight

Elle serra le collet de son manteau – quel froid de canard! –, puis tourna sur sa droite. Les lumières du Max's Club se firent vibrantes. Elle leva les yeux vers l'enseigne, puis à son portable: 18:56. Elle s'approcha, le portier lui sourit et la laissa passer, lui tenant la porte. Lorsqu'elle fut à l'intérieur, la bible sous le bras, elle vit la scène, illuminée, vide. Elle regarda vers le bar, où un jeune homme lui fit signe de s'approcher. Elle s'exécuta.

— Salut. T'es la nouvelle?

Aude acquiesça. Il lui sourit. Il pencha la tête en direction de l'arrière-scène.

— Ils sont tous dans leur loge.

La jeune femme arqua le sourcil. Il s'amusa de sa réaction, essuyant un bock à bière.

— Ne t'inquiète pas, la tienne est prête.

Aude retint un sourire. Elle sentit une espèce d'excitation, comme lors des spectacles du secondaire, ceux qui avaient eu lieu avant leur déménagement à New York. Elle ne s'ennuyait pas de ce petit patelin où tout le monde connaissait tout le monde, où tout un chacun était familier avec le voisin et où les nouvelles allaient vite, trop vite, telle la peste que l'on n'attend pas. Le serveur la sortit de sa bulle, lui pointant du doigt la direction à suivre.

— Tout droit, et ta loge est sur la gauche. Si tu veux quelque chose, n'hésite pas.

Il lui fit un clin d'œil pour la chance. Elle acquiesça, le remercia et se lança. Elle n'avait fait qu'une dizaine de pas qu'elle entendit son nom.

— Hé, Aude !

Elle se retourna. Ici aussi, les nouvelles allaient vite !

— Bonne chance !

Elle le considéra un moment.

— Bonne chance pour le *show*, ou pour...

Elle regarda autour d'elle. Il se mit rire.

— Non, pour tu sais qui. Les paris sont ouverts.

Les bras lui tombèrent.

— Tant que ça ?

Il se contenta de sourire. Elle secoua la tête, puis se résigna. Elle pivota et se dirigea vers les loges. Lorsqu'elle se retrouva devant une dizaine de portes, elle passa les noms, avant de s'arrêter devant le sien, enfin presque : Aude Toutcourt. Elle roula des yeux. Pas de doute, elle allait y goûter.

Elle déposa sa guitare dans le coin de la pièce, puis alla se regarder une dernière fois dans le miroir. Même tronche que dans son loft. Elle passa une main dans ses cheveux, inspira profondément, puis se retourna, les coudes sur le comptoir. On frappa, et la porte s'ouvrit. Max. Qui d'autre ? Il la considéra et elle attendit qu'il dise quelque chose. Il prit place – avec sa petite gueule de fendant – dans le sofa en face de la jeune femme.

— Tu te sens prête ? lui demanda-t-il sur un ton condescendant.

Elle arqua un sourcil. Il vit bien qu'il l'avait vexée. Il se leva.

— Je te taquine. Je vois que tu as mis quelque chose de plus... approprié.

Il se racla la gorge, essayant de dissiper son propre malaise ; rarement dans sa vie il avait senti la gêne. Cette fois, il voyait bien qu'il avait trouvé chaussure à son pied. Cette Aude ne serait pas facile d'approche. Comme lui d'ailleurs. Lui qui, avec le temps, avait développé la fâcheuse manie d'écraser les autres pour son propre profit, raison pour laquelle il avait dû trouver un nouveau guitariste, le dernier ayant claqué la porte. Aude, elle, lui semblait avoir un petit quelque chose de dur, d'impénétrable, une coquille qu'aucune arme ne saurait percer. Elle lui apparaissait comme une ombre parmi la lumière, l'intouchable.

— Tu viens ? Les autres t'attendent sur scène, ils veulent déjà faire des essais. Ils sont fous de joie d'avoir trouvé une voix féminine.

Il lui sourit. Elle lui rendit du bout des lèvres son sourire, puis se leva, passa devant lui. Là, il saisit : il lui était indifférent. Elle n'avait rien à perdre. Son icône d'homme d'affaires coureur de jupons ne l'impressionnait pas le moins du monde. Il se surprit à vouloir lui prouver quelque chose. Il se sentait défié. Il l'observa s'éloigner dans le couloir. Elle disparut, tournant le coin. Seule son ombre sur le mur restait, puis disparut elle aussi.

Ils l'aidèrent à monter sur scène, l'un prenant sa guitare et les autres la hissant, la scène ayant été étonnamment construite sans marches pour y monter ! Elle les remercia et tous s'installèrent, branchant et ajustant leurs instruments. Pendant ce temps, Max avait regagné sa table au fond de la salle, accompagné de l'homme qui, la veille, avait déniché la perle rare.

Après plusieurs essais, ils tentèrent de la faire chanter, mais se rendirent vite compte que ce ne serait pas pour tout de suite. Elle n'était pas encore à l'aise avec les enchaînements et les temps, ils ne pouvaient lui demander de chanter par-dessus le marché.

Une fois tout le monde bien préparé, le groupe descendit de scène et vint s'asseoir au bar, faisant dos à Max. Aude ne put s'empêcher de lui jeter un bref coup d'œil, mais pas suffisamment discret pour qu'il ne la remarque pas. Elle détourna le regard. Le serveur vint les rejoindre, servant à chacun une bière, tendant une bouteille d'eau froide à Aude. Il lui fit un clin d'œil, sous le regard surpris des membres du groupe.

— Une bouteille d'eau, vraiment ?

Elle leur sourit, un peu gênée, puis en prit une gorgée, il faisait si chaud sous cet éclairage de scène. Elle passa une main dans ses cheveux, puis vit Max s'incruster entre les membres du groupe. Ben, le bassiste, lui fit une place, se collant sur Aude. Il s'excusa.

— Pas de problème, lui dit-elle, plein sourire.

Une fois assis, Max prit une gorgée, puis se retourna vers Justin, le chanteur.

— Vous êtes prêts ?

— On peut dire. Même que je suis étonné. Je ne pensais pas qu'on s'accorderait si vite. Ne reste plus qu'à chatouiller ses cordes vocales, dit-il, se reculant, regardant Aude.

Il la vit se caler dans son siège.

— Je rigole. Si tu chantes ce soir, ce sera soit que tu es soûle, soit que je serai trop soûl pour chanter et que Ben ne pourra me remplacer.

Ils pouffèrent de rire et la jeune femme se détendit. Ce n'était pas le fait de chanter qui l'effrayait, c'était plutôt que sa voix n'était pas au point pour ce genre de pièces ; elle devait les travailler et pratiquer quelques fois pour être vraiment à l'aise, surtout sur scène. Elle était guitariste plus que chanteuse. Max se leva et regarda sa montre. Justin prit une dernière gorgée.

— C'est l'heure, les gars, le grand manitou regarde sa montre.

Les autres secouèrent la tête, Max souriant. Justin ne changerait jamais, toujours le mot pour rire. Aude fit de même ; quelques instants plus tard, tout le monde était sur scène.

Une musique d'ambiance résonnait, tandis que les premiers clients entraient dans le bar. Il devait bien être 22 h 45 lorsque Max jugea que l'endroit était assez rempli et qu'il était temps de commencer le spectacle. Il monta sur scène, rejoint par les membres du groupe qui jusque-là étaient restés à l'arrière. Aude alluma sa maîtresse, question qu'elle se chauffe un peu.

Dans la salle, les lumières miroitaient sur les murs du bar, où plusieurs centaines de personnes, en majorité des hommes tatoués, percés, les cheveux longs, une bière ou un pichet à la main, discutaient très fort, profitant de l'ambiance et d'une soirée bien arrosée.

Aude vit Max saisir le micro et s'adresser à l'auditoire qui se retourna vers lui, suspendant leur dernière gorgée.

— Bonsoir. Comme tous les samedis soirs, c'est le spécial groupe. Et comme plusieurs fois par année, les For Ladies viennent présenter leurs nouvelles pièces musicales.

Les gens se levèrent, tous emportés par une vague d'excitation. La belle brune avait la sensation de jouer sur les plaines d'Abraham, un soir de Saint-Jean. Il y avait tout ce monde qui était là, fou d'excitation de voir le groupe jouer.

— Je voudrais, par la même occasion, présenter le nouveau membre du groupe.

Au même moment, un immense et éblouissant jet de lumière s'abattit sur la belle brune qui, aveuglée, ne put que saluer l'auditoire, qui l'applaudit.

— Sur ce, je vous souhaite une électrisante soirée.

Il salua la foule et descendit de scène, laissant place au groupe.

Matt gratta sa basse, puis, tel que convenu plus tôt, Aude fit chanter sa Gibson. Elle sentit monter en elle cette adrénaline tant recherchée.

Ils enchaînèrent plusieurs morceaux, les minutes devenant des heures. Le bar était plein à craquer, les soutiens-gorge des serveuses débordant de pourboires. Assis au fond, Max observait ce groupe qu'il avait formé, démantelé, modifié à plusieurs reprises ; cette fois, il vit une unité se dessiner, une unité musicale. Cette Aude Toutcourt n'était probablement pas la meilleure de tous les guitaristes sur terre, mais elle apportait quelque chose de plus aux For Ladies ; elle adoucissait l'excès de testostérone et projetait une tout autre image du groupe, reconnu pour sa férocité musicale. Par son unique présence, la belle brune permettait d'aller chercher un public plus large. Probablement que cette touche féminine particulière amènerait leur art à un tout autre niveau.

Aude regarda Justin à sa gauche : il était trempé de sueur, son gel résistant à toutes ces lumières. Elle remarqua alors qu'à force de jouer, sa guitare faisait remonter sa robe, dévoilant presque sa fesse.

Lorsqu'elle releva les yeux de son postérieur, elle vit bien que Ben et Matt avaient eux aussi remarqué cette petite indécence. Elle les foudroya du regard, ils lui sourirent mesquinement. La jeune femme détourna les yeux et vit, dans le fond de la salle, tandis que tout le monde était occupé à apprécier le spectacle, une femme titubant, essayant de résister à l'homme qui tentait de la tirer vers les toilettes contre son gré. Aude fixa Max, qui remarqua bien qu'elle le regardait avec insistance, mais il ne comprenait pas. Il devait penser qu'Aude le matait ! Abruti, songea-t-elle. Aude regarda autour d'elle ; personne ne semblait être conscient de la situation. Elle vit alors le micro planté devant elle. Hésitante, elle se décida finalement. Elle se mit deux doigts dans la bouche et siffla dans le micro, ce qui fit un bruit d'enfer. Les membres du groupe cessèrent de respirer, frisant la crise de cœur. Les clients, eux, les mains sur les oreilles, figés sur place, ne firent plus un bruit. Max se leva, les bras dans les airs, ne comprenant rien, fou de rage. Mais qu'est-ce qui lui passait par la tête à celle-là ? se demandait-il.

Tout cela s'était passé en quelques secondes seulement. Aude saisit le micro et pointa l'homme et la femme dans le fond du bar.

— Je ne pense pas qu'elle ait vraiment envie de le suivre.

Tous se retournèrent. L'homme prit alors la fuite, sortant du bar sous le regard de tous ces curieux. Une serveuse se précipita vers la femme, qui tenait à peine debout. Elle semblait avoir été droguée à son insu. Aude, en sueur et gênée par toute cette attention, ajouta en souriant nerveusement :

— Désolée.

Les barbus dans la salle se levèrent et se mirent à l'applaudir pour son geste, puis tout le monde fit de même. Justin lui sourit pour la rassurer, alors elle gratta quelques cordes et le spectacle continua. *The show must go on* ! Eh oui ! Elle aurait fait atterrir un avion sur la scène, elle aurait moins attiré l'attention.

L'endroit se vida peu à peu et le groupe cessa de jouer. Les employés commencèrent à ramasser les verres, les bouteilles, à passer un coup de chiffon sur les tables souillées d'alcool. Justin éteignit son micro et les autres rangèrent leurs instruments. La belle brune remarqua alors Max, assis à sa table habituelle, avec son compagnon lui aussi habituel, en compagnie de trois blondasses au décolleté échancré – on aurait dit que leurs seins allaient leur sortir de leur échantillon de chandail ! Aude plissa le nez. Justin remarqua son mépris. Il rit. Aude se retourna vers lui qui roulait le fil de son micro.

— Bienvenue dans notre monde.

Aude évita de rétorquer, mais il vit bien qu'elle taisait ses pensées.

— Allez, dis !

Elle croisa son regard, arquant un sourcil.

— Dire que moi, je m'en fais pour cette robe trop courte...

— Elle n'est pas trop courte, rétorqua Ben. Je l'aime bien, moi, ta robe.

Il lui sourit, coquet. Le même sourire que lors du spectacle. Elle lui fit la moue.

— C'est ça, tu peux rêver avant que je la porte de nouveau !

Ils se mirent à rire, fermant les étuis, signe que le spectacle était bel et bien terminé.

Une fois tout le matériel ramassé, le groupe descendit de scène et rejoignit Max. Aude resta debout. Le gérant croisa son regard et y vit la fatigue. Il se leva. Elle arqua un sourcil. Les autres le considérèrent. Il remonta le col de sa veste.

— Quoi ? leur demanda-t-il.

Puis, il comprit. Il roula des yeux.

— Bon sang, les gars ! Je sais que je n'ai pas de mérite, mais quand même pas le premier soir.

Ils se mirent à rire. Aude ne comprenait rien. Il se retourna vers elle.

— J'ai dit qu'on s'arrangerait pour te faire raccompagner, eh bien, chose promise, chose due.

Elle hocha la tête. Matt se leva, se proposant.

— Laisse, je vais y aller, vous êtes tous épuisés. Pour les prochains soirs, elle aura un chauffeur attitré.

Les autres remarquèrent ce petit air se dessiner sur le visage de la belle brune qui croisa les bras. Max vit bien que quelque chose n'allait pas. Il se retourna vers Aude.

— Quoi encore ?

— Je n'ai pas besoin de chauffeur. J'ai une voiture.

Les bras de Max tombèrent littéralement.

— Et tu viens ici à pied ? Tard le soir ? Toute seule ?

Elle ravala un juron, tourna les talons et se dirigea vers la sortie, agrippant son manteau que lui tendait le jeune homme à l'entrée. Max la rattrapa en courant. Elle enfila son manteau, continuant à marcher. Il lui attrapa le poignet, la forçant à s'arrêter. Elle se retourna brusquement vers lui :

— Du calme, Boucle d'or ! Il y a le feu quelque part ?

— À mon cul !

Elle dégagea son poignet et reprit sa route.

— Mais attends. C'est quoi, le problème ?

Il lui rentra presque dedans lorsqu'elle s'arrêta subitement, se retournant, l'air mauvais.

— Ça ne fait pas deux jours qu'on se connaît, et à toutes les occasions tu me fais passer pour une pauvre conne. Je ne suis pas un *punching bag* ! Si t'as le goût de taper sur une tête, désolée, je passe mon tour. Et arrête de me suivre, je suis assez grande pour retourner toute seule chez moi.

Puis, elle pivota et continua sa route, laissant Max pantois, seul sur le trottoir, la regardant filer. Dire qu'il trouvait son ex-copine dure à comprendre. Il attendit un moment, et lorsqu'il la vit tourner le coin de la rue, il décida de rentrer. Pas question de la suivre, elle appellerait les flics ! Il haussa les épaules ; pour une fois, il n'avait eu que de bonnes intentions... Voilà pourquoi il s'était tant éloigné des gens. Trop compliqué de les comprendre. De retour au bar, il était seul avec le serveur qui fermait sa caisse. Tous les autres étaient partis.

Aude tourna le coin et fit quelques pas. Elle entra dans son immeuble, le portier la saluant une fois de plus. Elle prit l'escalier : trop long d'attendre l'ascenseur ! Une fois devant sa porte, elle tourna la poignée. Verrouillée. Elle tapota son manteau pour trouver ses clés. Restées au bar. Elle oubliait toujours de verrouiller sa porte, mais pas cette fois-ci. À cet instant, elle étouffa un juron, se disant pour elle-même : aujourd'hui, ma vie c'est d'la marde ! Comme le chante si bien Lisa Leblanc ! Prise par son orgueil démesuré, elle hésitait entre dormir sur le seuil de sa porte ou débarquer à 4 h 30 du matin chez ses parents. N'importe quoi pour ne pas retourner au bar chercher son satané sac à main. Mais quelle tête en l'air ! Elle soupira de rage, grognant presque. Elle était si fatiguée. Pas le choix. Elle devait piler sur son ego et retourner au bar chercher ses affaires. Elle refit le chemin inverse, sous le regard perplexe du portier. Une fois arrivée, elle se buta contre une porte verrouillée. Tab... Son québécois remontait parfois... Elle tapa du pied, cherchant quoi faire. Lorsqu'elle se résigna – elle irait une fois de plus cogner chez papa, maman, comme de nombreuses fois où elle avait égaré ses clés dans les bars –, la porte s'ouvrit. Max lui tendit son sac, qu'elle saisit.

— Merci ! dit-elle sèchement, en saisissant le sac et en tournant les talons, reprenant son chemin.

Il secoua la tête. Il ajusta son manteau et la suivit dans la rue. Lorsqu'elle jeta un coup d'œil derrière elle, elle le vit.

— Fous-moi la paix.

Mais il continua de la suivre. Elle s'arrêta et se retourna. Il s'approcha.

— J'ai pas besoin d'un grand frère.

Il la considéra, la regardant dans les yeux ; il avait perdu son air hautain. Il lui prit doucement la main, la tirant vers lui, remontant légèrement la manche du manteau, dévoilant une ecchymose. Elle soupira.

— T'en as pas eu assez ?

Elle s'impatienta. Il la sentait bouillir de l'intérieur.

— Ce serait bien de t'avoir pour plusieurs représentations, non ?

Elle tiqua. Elle ne voulait pas lui donner raison, mais comment faire autrement ? Elle baissa les yeux. Il redescendit sa manche pour éviter qu'elle prenne froid.

— On y va ?

Elle ne dit rien et ils marchèrent. Une fois arrivés, il lui ouvrit la porte, le portier étant probablement parti ou s'étant absenté un instant – tout le monde avait besoin d'aller au petit coin. Il la raccompagna jusqu'à sa porte. 115. Elle se retourna vers lui, sortant ses fameuses clés. Elle déverrouilla la porte, l'ouvrit et lui fit signe d'entrer. Il arqua un sourcil, surpris.

— Que me vaut l'honneur ? demanda-t-il, amusé.

Elle lui fit la moue, mais il entra tout de même, découvrant le loft de la belle brune. Il balaya le vaste espace : les guitares, les couleurs chaleureuses, le lit en pagaille. Aude retira son manteau qu'elle rangea dans la garde-robe, puis alla déposer son sac sur le comptoir. Elle prit une bière dans le frigo, la tendit à Max, lui faisant signe de passer au salon. Il la remercia et alla s'asseoir. Elle vint le rejoindre, prit place devant lui, une bouteille d'eau à la main. Il s'amusa de son côté petite fille sage, mais avec un caractère explosif !

— Tu vas faire comment ? lui demanda-t-il.

— Pardon ?

— Comment tu vas faire ? Passer tes soirées avec nous, dans ce monde de la musique, une bouteille d'eau pour seule compagnie.

Elle lui sourit, pour une toute première fois.

— Je n'en sais rien. Tant que la musique est au rendez-vous.

— Et cette vie frénétique de groupe populaire ?

Elle regarda par terre, puis revint à lui.

— Ce sera bien.

— Ce sera peut-être trop ?

Elle haussa les épaules.

— Peut-être bien.

Elle avait une si grande désinvolture.

— Pourquoi t'es venue passer l'audition ?

Elle regarda son avant-bras.

— L'adrénaline...

Il sourit. Aucune difficulté à la croire. Elle leva les yeux sur lui ; elle semblait si calme. Chose rare... Elle semblait apaisée, hors de portée.

— Et toi ? Toutes ces lumières, ces gens autour, comment tu gères cela ?

Il changea de position, déposant sa bière sur la table. Il regarda la bouteille.

— J'en sais trop rien. Beaucoup trop souvent en arrosant mes soirées, en me poudrant le nez, en tournant en rond. Enfin, je crois. Chaque soir est différent, mais la plupart du temps les gens se ressemblent.

La belle brune écoutait, observant ce Max assis devant elle, s'ouvrant. L'envie de le poignarder l'avait déjà quittée. Probablement n'étaient-ils pas tous les deux des cas désespérés. Il sortit de sa léthargie, voyant le soleil se pointer le bout du nez. Il se leva. Elle le regarda.

— Je vais y aller, maintenant que la hache de guerre est enterrée et que tu es en sécurité chez toi.

Elle sourit, hochant la tête.

— Merci pour la bière.

— Pas de quoi.

Elle se leva pour le raccompagner. Elle lui ouvrit la porte. Il remonta le collet de son manteau. Il se retourna vers elle, un pied hors du loft. Elle s'accota sur la porte.

— Demain, disons plutôt aujourd'hui, c'est congé pour tout le monde. Prends ça relax. Je vais appeler plus tard pour te dire ce qui est prévu pour les prochains jours, je dois regarder l'horaire du groupe.

Elle acquiesça et il sortit. Il se retourna une fois de plus.

— Ah ! j'oubliais. J'espère que tu as ton passeport et une valise, on part bientôt en tournée.

Aude, surprise, ne dit rien.

— Bonne nuit.

Puis, il s'en alla, laissant la jeune femme seule sur le seuil de sa porte. Elle ferma à clé, s'adossa à la porte et y resta un moment. Elle secoua la tête. Quel étrange personnage ! Disons qu'elle ne donnait pas sa place non plus ! Autant sa simple présence avait joué sur les nerfs de la jeune femme, autant maintenant elle ne savait plus quoi penser. À croire qu'elle n'était pas la seule de difficile à comprendre !

Épuisée, elle décida de laisser cette soirée derrière elle et alla se glisser dans ses couvertures. Elle s'endormit aussitôt. Le noir, la paix, le calme, rien. Le sommeil.

Chapitre 4

Une mauvaise nouvelle

Le téléphone sonna. Le soleil lui fit mal aux yeux. La figure dans l'oreiller, elle tapota sa table à l'aveuglette et décrocha le combiné.

— Quoi ?

— Aude ?

— Hmm...

— Ça va ?

— Oui, Ophélie, ça va. Qu'est-ce qu'il y a ? Il est 6 heures du matin.

— Il est arrivé quelque chose.

Aude se redressa.

— Bien, parle !

Elle se passa une main dans le visage, essayant d'ouvrir les yeux malgré le soleil ardent.

— C'est maman.

Aude ouvrit les yeux.

— Quoi, maman ? Dis !

La jeune femme sortit du lit, s'habillant déjà.

— Elle est à l'hôpital. On est tous à l'hôpital.

— Ophélie, tu vas me dire ce qui se passe ?

— Maman a eu une attaque.

Aude paralysa. Silence.

— Quand ?

— Hier, en début de soirée.

Le décompte se fit dans la tête de la jeune femme.

— Et personne n'a trouvé bon de m'appeler ?

Ophélie ne dit rien. Puis elle répondit :

— Laisse tomber. Viens nous rejoindre. Elle est stabilisée et les médecins disent qu'elle n'aura aucune séquelle.

La belle brune bouillait de l'intérieur.

— C'est bon, j'arrive. Quelle chambre ?

— 327.

— Bien.

En colère, le cœur gros, Aude ramassa son jeans, l'enfila et se dirigea vers la cuisine. Elle prit son sac, ses clés, son cellulaire et mit son manteau. Elle sortit et vint pour verrouiller la porte de son loft lorsqu'elle vit, son manteau ouvert, qu'elle ne portait que son soutien-gorge. Tant pis ! Elle remonta la fermeture éclair et fondit dans l'escalier. Une fois dehors, elle courut presque jusqu'à l'hôpital. Elle était en sueur. Lorsqu'elle arriva, les portes s'ouvrirent devant elle. La jeune femme entra. Elle lut les affiches, puis se dirigea dans un long corridor. Elle compta les chambres, les numéros défilant sous ses yeux. À une trentaine de mètres d'elle était assis un jeune garçon qui regardait le sol. Elle s'approcha de lui, s'assoyant à ses côtés. Il leva les yeux. Jamy regarda sa grande sœur. Elle passa un bras autour de ses épaules et le serra contre elle.

— Ça va aller, Ti-Cul. Ça va aller.

Il hocha doucement la tête, retenant ses larmes de crocodile, essayant d'être un homme. Elle relâcha son étreinte, se leva.

— Je reviens.

Il acquiesça et elle entra dans la chambre. Elle resta là, sur le seuil de la porte, à regarder cette femme, allongée, endormie, dans ce lit d'hôpital. Aude déposa son sac à main sur la chaise et s'approcha doucement, observant sa mère, les tubes meurtrissant ses avant-bras. Aude ravala un sanglot. Elle prit la main de Débora qui dormait. Même si elle avait eu les mots pour décrire à cet instant précis ce qu'elle avait ressenti, elle n'aurait pu les exprimer tant ils s'étaient piégés creux en elle, la saisissant dans sa chair. Cette même chair qu'elle partageait avec cette femme endormie, fatiguée d'avoir mis au monde quatre enfants, de les avoir aimés, accompagnés, guidés ; maintenant, elle se reposait. Cette même peau, ce même visage, cette même dévotion. Ce lien si fort. Cette douleur au cœur en regardant le monde. Donner tout, jusqu'au dernier souffle. Débora était sans doute morte pour mieux renaître : nouvelle, prête à s'épanouir.

Aude allait rejoindre Jamy lorsqu'on lui saisit la main, la serrant si fort, si tendrement. Elle se retourna vers sa mère, qui lui souriait – elle souriait encore et toujours ! Maudite tête dure, sans fin, impossible à saisir, toujours un brin de force, de volonté caché quelque part pour se battre, au-delà de la mort. Aude lui rendit son sourire.

— Je t'avais dit de prendre soin de toi, dit-elle à sa mère, lui souriant, une larme s'échappant.

Elle l'écrasa aussitôt. Débora sourit.

— Tu sais ce qu'ils m'ont dit ? Que je devrais arrêter le café. Ils veulent m'achever ?

Aude rit, les yeux pleins d'eau. Elle secoua la tête. Plus ça changeait, plus c'était pareil ! Ce n'était vraiment pas l'âge qui changeait les gens.

Elles restèrent là un moment, à apprécier la douceur du soleil. Le cellulaire de la belle brune vibra. Elle allait éteindre, mais Débora lui fit signe de prendre l'appel.

— Mais, maman, on est dans un hôpital.

— On s'en fout.

Aude roula des yeux, mais répondit tout de même.

— Allô ? Désolée, Max, je ne pourrai pas venir. J'ai un contretemps... Pardon ? Je suis mieux d'amener mes fesses demain au bar ? C'est ce que tu me dis ? Eh bien, mes fesses, tu peux bien te les imaginer, parce que je peux te jurer que tu n'es pas près de les revoir ! Je me fous que tu veuilles que l'on pratique, je viendrai le plus tôt possible, mais demain ça ne sera pas possible... Qu'est-ce que tu ne comprends pas ? Je ne suis pas claire peut-être ?

Aude se leva de sa chaise en beau fusil.

— Tu sais quoi ? Va te faire voir. Je me fous de toi, de ton groupe et de ta musique ! Je suis à l'hôpital ; ma mère a eu une attaque hier soir. Alors, fais ce que tu veux et va donc te faire cuire un œuf ! *Ciao* !

Elle raccrocha, ne laissant aucun jeu à Max pour rétorquer quoi que ce soit. Elle regarda sa mère, qui l'observait.

— Quoi ?

— Eh bien, je pense que c'est plutôt toi qui aurais dû faire une attaque. Calme-toi un peu, sinon c'est dans l'heure qui suit qu'ils vont devoir te réanimer.

Elle tendit la main vers sa fille.

— Donne-moi ça.

Aude lui donna son cellulaire. Débora recomposa le numéro et rendit l'appareil à sa fille.

— Je vais bien, alors tu vas aller à ton rendez-vous.

Aude allait argumenter.

— C'est mon dernier mot.

La jeune femme acquiesça, sachant très bien que sa mère ne lâcherait pas le morceau. Elle se leva et fit quelques pas vers la porte, collant le portable à son oreille. Ça sonnait.

— C'est moi… je te raconterai plus tard…

Débora regardait sa fille et son orgueil démesuré, secouant la tête. Plus ça changeait, plus c'était pareil !

— C'est ça, c'est ça. OK, demain 14 h. Salut.

Elle raccrocha, se retournant vers sa mère qui la considérait gravement.

— À qui tu parlais comme ça ?

— Max.

— Max ?

— Très très longue histoire.

— Ça adonne bien ! J'ai beaucoup de temps en ce moment.

Aude roula des yeux. Résignée, elle tira une chaise et s'approcha de sa mère, lui racontant l'agression dans la rue, l'audition, le spectacle. Débora sourit.

— Tu ne chômes jamais.

— J'ai de qui retenir, non ?

Elles rirent doucement.

— Mais ce Max, c'est le gérant du groupe, ton patron, si on veut ?

— On peut dire ça...

— Et, si je ne m'abuse, je t'ai entendue hurler après lui comme s'il était un moins que rien ?

Aude sourit nerveusement, puis s'assuma et hocha fièrement la tête, souriant à pleines dents.

— Je criais aussi après Stephan, à la maison d'édition.

— Parlant de lui, il est au courant de ton changement radical de carrière ?

La jeune femme rit jaune.

— Oups...

Débora soupira gravement. Au même moment, le reste de la famille entra dans la chambre.

Georges demanda à Aude si elle pouvait ramener Jamy et Ophélie à la maison. Quant à lui, il resterait avec Débora.

— Mais je peux conduire, dit Ophélie.

Débora pouffa de rire.

— C'est ça, pour que tu nous fasses une autre *puck* sur la Audi ! Tu rêves, ma grande !

Ophélie se renfrogna et Aude lui sourit mesquinement. Elle fit la moue à sa sœur. C'était de bonne guerre. Aude allait accepter lorsqu'elle remarqua qu'il manquait Greg.

— Il est où ?

— Qui ? lui demanda Jamy.

— Bien, Greg.

— On l'a joint, mais aucun de ses employés ne pouvait le remplacer...

— Quoi? Mais on s'en fout, il n'avait qu'à mettre une pancarte dans la porte et fermer boutique.

Tout le monde était mal à l'aise.

— Aude, tu connais ton frère, répliqua Débora.

Aude grogna.

— Tab...!

— Aude, l'avertit Georges.

— Batarn... Tiens, c'est correct si ça sort de la bouche d'une fille.

Son père commençait à être impatient.

— Bon, du calme, intervint Débora. Ça va finir qu'on va vous interner. L'étage des fous, c'est plus haut!

Aude et Georges se dévisagèrent. Ophélie et Jamy prirent leur trou. Ces deux-là ne s'estimaient pas souvent, mais lorsque ça arrivait, c'était l'hécatombe assurée!

— Il aurait quand même pu venir, dit Aude, presque pour elle-même.

Elle savait très bien cependant que Greg avait une peur folle des hôpitaux depuis qu'en début d'adolescence on l'y avait envoyé pour des tests psychiatriques. En avait résulté la découverte de son autisme, ce handicap (qui n'en était pas un pour les membres de cette famille). Il était tout simplement Greg, un jeune homme plein de potentiel, qui, malgré lui, préférait la solitude et son monde artistique. Parfois plus que sa famille. Mais les choses étaient ainsi et c'était très bien comme ça.

Aude s'approcha de sa mère, l'embrassa.

— Plus de café et calme tes petits nerfs de bonne femme.

Elle se retourna vers les deux autres.

— On va marcher, les amis! Je suis à pied.

Elle leur sourit à pleines dents. Ils bougonnèrent. Aude roula des yeux. Georges lui tendit les clés de voiture. Aude leva les yeux vers lui.

— Prends la Audi. On prendra un taxi pour revenir.

— Certain ?

Il hocha la tête. Ophélie pencha la tête, plein sourire vers son père.

— Merci, papa.

Elle alla l'embrasser et fit une dernière accolade à sa mère. Jamy fit de même, puis ils partirent.

— Aude. Avant de prendre l'avion, viens nous voir.

Elle hocha la tête, comme si elle avait besoin de le lui dire. C'était probablement plus pour se rassurer elle-même et son cœur de mère. Ils partirent, laissant leurs parents derrière. Direction la Audi.

Chapitre 5

Porte 665

Aude avait stationné la voiture à l'étage inférieur et avait raccompagné Jamy et Ophélie à l'appartement. Elle déposa les clés sur l'îlot de la cuisine. Le jeune garçon alla s'asseoir dans le sofa.

— Bon, vous allez être corrects ? leur demanda-t-elle.

La jeune fille hocha la tête.

— S'il y a quoi que ce soit, appelez sur mon cellulaire.

— OK.

Aude prit son portefeuille, en sortit quelques billets qu'elle tendit à sa sœur.

— Tiens, ça paiera la pizza.

— Merci.

Elle prit l'argent. La belle brune alla embrasser son jeune frère, assis, bien silencieux.

— Ça va aller ?

Il acquiesça, souriant faiblement. Elle fit l'accolade à Ophélie, puis se dirigea vers la porte.

— Aude.

Elle se retourna. Sa sœur lui pointait son sac resté sur la table. Mais où avait-elle la tête ? Quelle tête ? Voilà la question ! Elle le prit, salua les deux autres qui riaient d'elle. Aude sortit, referma la porte, descendit et sortit dans la rue.

CHAPITRE 6

Sans préavis

Elle était de retour chez elle. 15 h 50. Elle se prit un bol de céréales et alla s'asseoir, ouvrant la bible du groupe devant elle. Tout en mangeant, elle prit des notes et tenta d'apprendre les accords et les mélodies des pièces musicales. Son téléphone vibra. Elle se leva et alla à la cuisine.

Tu es chez toi ?

Texto de Max. Elle hésita à répondre.

Oui. Pourquoi ?

On cogna à la porte. Aude secoua la tête, levant les yeux au ciel : décidément, elle n'avait pas fini de se faire talonner. Elle déposa le téléphone et alla ouvrir. Il se tenait là, jeans noirs, chandail rayé, veston sport décontracté. Ce qui faisait changement de son style de gérant rock. Elle s'accota au cadre de porte, soupirant.

— Salut.

— Salut. Qu'est-ce que je peux faire pour toi ? lui demanda-t-elle, l'air un peu irrité.

Il la considéra, voyant qu'il avait perdu le terrain qu'il avait gagné la veille.

— Je voulais savoir quand tu voulais recommencer à travailler avec le groupe, vu les circonstances, question de changer l'agenda et de reporter les dates de tournée.

— Ne change rien.

Surpris, il arqua un sourcil.

— Mais tu m'as dit au téléphone... Non, rectification, tu m'as hurlé au téléphone que ta mère avait eu une attaque.

— Exactement.

— Alors, qu'est-ce que tu fais ici ? lui demanda-t-il.

— Je reviens de raccompagner mon frère et ma sœur à la maison. Mon père est resté avec elle à l'hôpital, elle sortira bientôt. Finalement, il y a eu plus de peur que de mal.

Il acquiesça.

— Prends quand même quelques jours.

— Merci, mais ça ira.

Il y avait toujours cette hostilité palpable entre les deux. Il hocha la tête, voyant très bien qu'il ne gagnerait pas sur ce point.

— Désolé d'avoir été...

— Un crétin au téléphone ?

Il se tut, soupirant.

— Ouais, disons que je ne suis pas un champion dans le domaine des relations humaines.

Il se gratta la nuque. Elle tiqua, approuvant. Silence. Regards au sol.

— Disons que, pour ma part, j'ai le feu aux poudres assez facilement.

— J'avais remarqué, dit-il tout bas.

Elle se racla la gorge. Il leva les yeux, souriant mesquinement.

— Bon, oublions ça.

Il acquiesça, se détendant légèrement.

— Quelle heure, demain ?

— 13 h, ça t'irait ? Question que les gars soient au moins réveillés et dégrisés.

Elle sourit et consentit. Il hocha la tête, satisfait.

— Alors, 13 h, au studio.

— Au studio ?

— Ah, c'est vrai, on ne t'y a jamais emmenée. Dans ce cas, je passerai te prendre.

Elle acquiesça.

— À demain.

Il s'en alla, lui envoyant la main. Il disparut dans la cage d'escalier. Elle referma la porte, remarqua qu'elle avait toujours son manteau sur le dos. Par chance ! Elle ne portait que son soutien-gorge. Elle secoua la tête, découragée d'elle-même. Elle retourna dans le salon, ferma la bible et alla s'étendre.

Elle se réveilla, le soleil tombait dans l'horizon. 19 h. Elle vit son manteau sur le sol. Elle se frotta le visage, tentant de se réveiller. Elle alla prendre une douche, en sortit : mascara, *gloss*, queue de cheval. De retour dans la chambre, elle enfila un jeans, un chandail et un débardeur – sa sœur aurait été fière d'elle ! Elle mit ses fameuses bottes, son manteau, prit son sac, sortit et, contre toute attente, verrouilla sa porte. Dans la rue, les lumières des commerces commençaient à s'allumer tandis que le soleil laissait derrière lui sa lumière rougeâtre.

Elle marcha un peu, puis entra dans un petit café. Elle en ressortit deux cafés bien chauds à la main. Elle traversa plusieurs intersections, puis entra dans un immeuble à condos. Elle prit l'ascenseur. Une fois arrivée, elle frappa à la porte. On vint lui ouvrir. Devant elle se tenait Stephan, le patron de la maison d'édition. Habillé d'un jeans et d'un t-shirt, on ne peut plus décontracté, il fut surpris de voir la jeune femme sur le pas de sa porte, des cafés dans les mains.

— Je te pensais morte. Je t'ai envoyé des tonnes de textos, appelé plusieurs fois. Aucune nouvelle.

Aude sourit.

— Je sais. Tu me laisses entrer que je t'explique ? lui dit-elle.

Il soupira. Ce n'était pas du tout le style d'Aude de ne pas rentrer au travail et encore moins de ne pas prévenir de son absence, malgré son je-m'en-foutisme général. Il se tassa, l'invitant à entrer. Elle lui plaqua le café contre le torse. Il le prit, secouant la tête – toujours aussi délicate ! La soirée serait particulièrement longue. Elle alla s'asseoir à la table de cuisine. Il fit de même. Elle retira son manteau. Il prit une gorgée.

— Bon, par où commencer...

— Par le début, ce serait déjà bien.

Elle lui fit la moue.

— Évidemment.

Bien que Stephan soit son patron, il considérait davantage Aude comme une collègue de travail. Même si elle contestait souvent les choix des publications de la maison, il ne l'aurait remplacée pour rien au monde. Cela faisait déjà trois ans et demi qu'ils travaillaient ensemble, qu'ils corrigeaient, publiaient et s'arrachaient parfois les cheveux.

— Alors, voilà. J'ai surpris mon crétin de copain... enfin ex-copain, avec cette connasse en pleine partie de plaisir. Je l'ai foutu à la porte. Je me suis fait agresser dans la rue en pleine nuit en revenant d'un bar. Et finalement, sur un coup de tête, j'ai passé une audition pour les For Ladies comme guitariste, et j'ai été choisie. On a fait un spectacle au Max's Club. Hier, ma mère a fait une attaque. Je suis rentrée chez moi cet après-midi et là, me voici assise à ta table, t'expliquant le téléroman de mes trois derniers jours.

Stephan clignait des yeux, ayant peine à suivre la jeune femme dans ses péripéties.

— Les For Ladies, tu me charries ?

— Je suis du genre à charrier les gens ?

Elle venait de marquer un point. Il n'y avait pas plus franche qu'Aude... parfois trop. La ligne à ne pas franchir, elle passait outre sans censure. Il hocha la tête, encore surpris par l'histoire de la jeune femme.

— Alors, tu nous quittes.

Elle sourit, gênée.

— Disons que...

— Ne dis rien, il n'est pas question que tu passes à côté de cette occasion.

Elle pencha la tête.

— Vraiment ?

Il pouffa de rire.

— Et puis, ce n'est pas comme si je pouvais t'attacher à ton bureau.

Elle tiqua, assez d'accord.

— Mais s'ils te font la vie dure, je garde ton bureau. Tu reviens quand tu veux. Des bonnes correctrices au mauvais caractère, ça ne court pas les rues.

Elle ricana.

— Merci, j'apprécie et encore désolée de ne pas t'avoir mis au courant plus tôt.

— Ça va. J'aurais probablement fait exactement la même chose.

Elle prit une dernière gorgée.

— Je vais y aller.

Il se leva, la raccompagnant.

— Alors, je ne t'attends pas lundi matin. Ça va faire drôle : personne pour me hurler que je suis un pourri de publier de telles merdes !

Elle rit.

— Ça va te manquer, j'en suis certaine.

Il lui rendit son sourire.

— Passe nous voir.

Elle acquiesça.

— Je t'enverrai des billets.

— Je ne manquerai pas ça.

Il lui fit un clin d'œil.

— Bon, j'y vais. On s'appelle et on ira prendre un café.

Il acquiesça. Elle le salua et partit. Il la regarda s'éloigner.

Chapitre 7

Lâcher prise

Une fois à l'extérieur, elle regarda l'heure : 21 h 17. Elle décida de rentrer chez elle. Aude laissa son manteau, son sac et ses clés sur la table de la cuisine. Elle alla se prendre une bouteille d'eau... décidément, elle devrait aller faire l'épicerie. Elle regagna le salon, déposa sa bouteille et alla prendre sa guitare acoustique. Elle gratta quelques cordes, puis enchaîna plusieurs accords ; par chance, les murs de ces lofts étaient bien insonorisés ! Le temps passa. Elle soupira, déposant sa guitare sur la table basse du salon. Elle pensait aux derniers jours : ils avaient été vraiment éprouvants. Si elle avait écrit un roman, probablement aurait-il été un succès de librairie ! Elle sourit : l'écrire, pour qu'ensuite une correctrice de la maison d'édition lui massacre son récit. Elle réprima un second sourire, secouant la tête. La vie avait parfois de ces saveurs, tantôt amères, tantôt sucrées. Elle balaya son salon du regard, remarquant une chaussette sale dans le coin de la pièce : souvenir laissé par son ex-copain. Elle plissa le nez, repensant à la scène, puis la chassant aussi rapidement. Aude se leva et prit son cellulaire. 23 h 01. Elle envoya un texto à sa sœur.

T'as eu des nouvelles ?

Minute d'attente.

Oui. Ils reviennent demain matin.

Soupir de soulagement.

OK. Tiens-moi au courant. Bonne soirée, Sista. Je t'aime.
Coucou à Ti-Cul xxx

Elle déposa son portable, puis leva les yeux vers la fenêtre. La nuit était tombée depuis un moment déjà, laissant pour toute lumière les couleurs artificielles des gratte-ciel. Elle soupira de fatigue. Une bonne nuit de sommeil serait réellement la bienvenue. Elle alla raccrocher la maîtresse de ses nuits, puis éteignit les lumières derrière elle, regagna son lit, laissant tomber ses vêtements sur le sol. Enterrée sous plusieurs épaisseurs, elle se cala dans son oreiller. Le sommeil la gagna tendrement, telle une mère qui borde son enfant. La jeune femme s'endormit paisiblement, laissant les tracas des derniers jours derrière elle pour quelques heures : ils la rattraperaient bien assez vite. La paix, juste pour un moment. Plus de son, plus d'image.

Chapitre 8

Un imprévu

Le soleil avait envahi la pièce, baignant Aude dans une chaude matinée d'automne. Elle ouvrit les yeux, le soleil caressant sa peau. Elle sourit, s'étirant, tel un chat. Elle se frotta le visage et se redressa. Elle resta un moment assise dans son lit, se réveillant doucement, sans que personne ne la brusque. Elle tourna la tête vers son réveille-matin : 9 h 45. Elle avait le temps d'aller sous la douche, de déjeuner, de prendre des nouvelles de sa mère et de revenir pour attendre Max. Elle se botta le cul et finit par sortir du lit. Elle sauta dans la douche. Une fois propre, ses cheveux séchés, laissés libres bouclés, du *gloss*, un peu de mascara, elle revint à sa garde-robe. Elle tassa plusieurs morceaux, puis se décida finalement – même s'il était clair comme de l'eau de roche qu'elle devrait refaire le plein de vêtements, question de faire changement et d'avoir de quoi se mettre sur le dos ! Elle enfila un jeans noir moulant, ses bottes et un long chandail blanc. Elle ramassa ses verres fumés sur la table de chevet, puis se dirigea vers la cuisine, jetant un dernier regard dans le miroir.

Sac à main, clés, portable et manteau de cuir, et voilà. Elle réprima un sourire. Que Max dise bien ce qu'il veut de son style, la marque Aude était authentique. Pas comme toutes ces guidounes du métal. Elle avait du style, le sien, et quoi qu'il en pense, ça lui passait trente pieds par-dessus la tête. La belle brune verrouilla, puis gagna la rue. Elle marcha un peu, puis vit ce petit restaurant où elle avait l'habitude de déjeuner. Elle vint pour traverser la rue, sans regarder – fidèle à elle-même, elle oubliait qu'elle n'avait pas priorité à pied, en vélo et en voiture – lorsqu'une voiture la renversa. La jeune femme roula, puis s'immobilisa. Le conducteur de la voiture sortit, sans voix. Aude, immobile, face contre béton, ne donnait aucun signe de vie. Quelques personnes s'approchèrent pour lui venir en aide. On la retourna sur le dos. Sa tête roula, lourde. Poupée de chiffon. Elle respirait toujours, ne semblait pas gravement blessée, juste sonnée. Pour une fois, elle avait trouvé plus dure que sa tête. Au même moment, passant par là pour se rendre justement chez la jeune femme après avoir garé sa voiture tout près, Max remarqua le boucan, l'attroupement. Il s'approcha, se frayant un chemin. Il écarquilla les yeux, se ressaisit puis se pencha vers la jeune femme inconsciente et les gens qui essayaient de la faire revenir sur terre.

— Laissez, c'est une amie.

Les autres lui laissèrent une place et il posa la tête de la belle brune sur ses genoux.

— Hé, mademoiselle, on se réveille !

Il claquait des doigts devant son visage. Il la sentit bouger contre lui. Presque rien, mais quand même. Loin, dans le noir, elle entendait son nom, sentait son corps ballotté d'un bord et de l'autre. Sur le pont d'un navire en pleine tempête, ç'aurait été plus calme ! Elle finit par ouvrir les yeux, au grand soulagement de tous ces gens attroupés autour d'elle. Première chose qu'elle vit : Max. Elle ferma les yeux, soupirant gravement. Il le fait exprès, ou quoi ? Elle le regarda.

— Ça va ? lui demanda-t-il.

Elle se contenta de se redresser. Une fois assise, elle fit signe aux gens autour d'elle qu'elle allait bien. Ils commencèrent à se disperser. Le conducteur resta là, planté, à attendre. Max se leva et tendit la main à la belle brune. Elle la prit et il l'aida à se remettre sur pied.

— Je suis désolé, dit l'homme, mais vous êtes sortie de nulle part entre deux voitures.

Il se gratta la tête, désemparé et franchement inquiet. Elle lui sourit faiblement.

— Ça va, c'est moi qui suis désolée. Je ne sais pas où j'ai bien pu avoir la tête.

Max arqua le sourcil, stupéfait par tant de résilience, mais se garda bien de faire un commentaire.

Le conducteur laissa ses coordonnées à la jeune femme, puis partit. Aude le regarda s'éloigner, aucune égratignure sur sa belle voiture. Elle haussa les épaules : il ne pourrait l'actionner que pour traumatisme et non pour dommages matériels. Max la ramena sur terre, lui mettant la main dans le dos. Elle se retourna vers lui.

— Ça va, ça va, je te dis.

Il la considéra gravement.

— Et non, je n'irai pas à l'hôpital, j'en ai eu mon quota ces derniers jours.

Il secoua la tête.

— Comme tu veux. Je te raccompagne alors.

— Non. On va au studio comme prévu.

Il arqua le sourcil.

— Madame se fait renverser par une voiture, s'ouvrant le front (elle toucha son sourcil, constatant qu'il avait raison) et elle ne veut pas vérifier si tous ses morceaux sont encore à leur place, en plus de vouloir aller faire de la musique, le son au max dans un studio. Et c'est moi qui suis dur à suivre ?

— Tu as fini ta crise ?

La mâchoire lui décrocha littéralement : il n'en revenait tout simplement pas.

— C'est bon, je capitule, mademoiselle Aude Toutcourt. Destination le studio. Mais à noter que je ne veux pas être trouvé responsable des probables maux de crâne à venir...

Aude le tirait déjà par le manteau, l'empêchant de terminer sa phrase.

Chapitre 9

Jam

Lorsqu'elle passa la porte, les membres du groupe se levèrent, remarquant la sale gueule de la jeune femme, son sourcil saignant encore un peu.

— Aucun commentaire, prévint-elle, levant la main dans leur direction.

Ils regardèrent tous Max, qui leur fit signe de laisser tomber. Ils se résignèrent, se rassoyant, même si Matt dut retenir Ben pour qu'il s'assoie au lieu d'aller la rejoindre. La belle brune se retourna vers leur gérant.

— La salle de bain ?

Il lui fit signe.

— Merci.

Elle passa devant eux, déposant son manteau et son sac sur l'un des sofas. Elle referma la porte derrière elle et la verrouilla. Elle s'appuya sur le comptoir, observant son reflet dans la glace. Elle vit sa blessure, qui, malgré l'avis de Max, n'était qu'une coupure mineure. Elle se passa un peu d'eau sur le visage. Quel mal de tête !

Aude sortit enfin ; les autres, branchant amplis et instruments, se retournèrent vers elle. La belle brune leur fit un beau gros faux sourire et vint elle aussi s'asseoir, constatant qu'elle n'avait pas sa guitare : elle n'avait pas trop eu l'occasion d'aller la chercher. Max vint vers elle et lui tendit une bouteille d'eau bien froide et deux comprimés ; pour une fois, elle lui était reconnaissante. Elle les prit et les avala à la vitesse grand V. Les autres rirent. Elle leur sourit, gênée.

— Tu es certaine que...

— Que j'ai un mal de bloc fou, mais qu'on va jouer tout de même ? Oui.

Ben acquiesça, soumis aux ordres de madame... même s'il lui jetait sans cesse des coups d'œil inquiets. Justin lui apporta une autre bible du groupe, la déposant devant elle.

— Tiens. Je suppose que tu as laissé la tienne chez toi.

Elle arqua le sourcil, souriant mesquinement. Elle repoussa la reliure vers lui. Il la considéra. Aude posa les yeux sur Max qui souriait discrètement – il avait compris.

— Pas besoin de ta bible. Je connais déjà par cœur tous vos morceaux.

— Tu me charries ?

Matt pouffa de rire vu la mine déconfite de Justin.

— Tu n'étais pas *fan* à ce point ?

Elle secoua la tête.

— Pas du tout et loin de là. J'avais entendu quelques-unes de vos pièces à la radio comme tout le monde, c'est tout.

Max s'accota contre le mur, croisant les bras sur son torse.

— Et alors ? insista Justin.

— OK... prends-le pas mal, vous avez de très bonnes et accrocheuses pièces musicales, mais elles se ressemblent toutes sur le plan technique.

Offusqué, Justin retourna s'asseoir avec sa bible, se renfrognant, les autres se regardant d'un air complice. Max sortit de la pièce et revint une guitare à la main. Il la tendit à la belle brune qui la prit, passant la ganse par-dessus sa tête. Elle sortit un pic de sa poche. Il alla s'asseoir, en retrait, et les observa.

— Normalement, c'est à l'organisateur de tournée de s'occuper de ça, mais on préfère le faire nous-mêmes et Max aime bien l'idée, et ça marche ainsi depuis un moment, mentionna Matt.

Elle hocha la tête.

— Et là, avant de mettre sur pied le spectacle de la prochaine tournée, il faut trouver... disons, le thème. Si tu vois ce que je veux dire.

Elle lui sourit.

— Oui, Ben, je vois.

Il lui rendit son sourire. Justin se manifesta.

— Tant qu'à y être, on pourrait réorganiser certaines pièces.

Aude sourit discrètement. Le bassiste donna une *bine* à Justin pour le décoincer.

— Ça va donner une autre saveur.

— Si vous restez à jeun, dit Aude tout bas.

Mal à l'aise, elle leva les yeux vers eux.

— Désolée... ça a sorti tout seul, je le jure.

Ben et Matt éclatèrent de rire.

— Aude, désolée d'avoir dit ce qu'elle pensait, commenta Ben. Elle est bel et bien tombée sur la tête, la pauvre !

Ce fut à Aude de lui donner une *bine*. Il fit mine de se flatter le bras. La jeune femme leva les yeux au ciel.

— Bon, bon. Assez déconné tous les deux, intervint Matt. Il faut trouver le thème.

Les gars sortirent un bon millier d'idées toutes plus farfelues, tordues et dérangées les unes que les autres. Aude était sidérée. À ce rythme, ils partiraient à leur retraite avant de se lancer dans une tournée. Doucement, sous l'œil méfiant de Justin, pendant que Matt et Ben lançaient des obscénités, la belle brune prit la bible et tourna les pages, observant les titres des pièces. Pendant que les autres ne lui portaient plus attention, Aude sourit, approuvant discrètement. C'est alors qu'elle prit un crayon et un bout de papier qui traînaient sur la table basse et commença à écrire. Elle déposa le tout sur la table. Curieux, Ben prit le papier et lut. Il leva les yeux sur la jeune femme, un sourire en coin. Il passa le papier à Matt.

— *The Seasons Crossroad.*

Max leva les yeux de son agenda, observant le groupe. Il finit par approuver.

— J'aime bien. La croisée des saisons. Même que l'on pourrait commencer la tournée dans la nuit d'un solstice à l'autre. Les gens vont accrocher.

Il le prit en note.

— Brrr ! Ça va être froid, dit Ben, en riant.

— Bon, une bonne chose de faite, dit Matt. Maintenant, on peut passer aux choses plus intéressantes, dardant mesquinement Justin du regard qui lui fit la moue.

Aude rit.

Tournant les pages, Aude leur fit part des idées qu'elle avait eues pour certaines pièces. Ils essayèrent le tout. Il restait du travail à faire, mais la chimie s'installait peu à peu, la jeune femme se sentant de plus en plus à sa place. Plus tard, Max vint les rejoindre guitare sèche à la main. Il la tendit à la belle brune, qui l'interrogea du regard.

— Prends-la.

Elle haussa les épaules. Elle se leva, retira la guitare électrique qu'elle échangea à Max pour la sèche. Elle se rassit.

— Et maintenant ? le sollicita-t-elle.

Il eut un sourire en coin.

— Ce que tu veux.

— Ce que je veux ?

— Le morceau que tu veux.

Elle ouvrit grand les yeux.

— Je ne sais pas... *Bodies*...

— Non, non. Autre chose que des For Ladies.

Matt rit. Aude se tourna vers lui.

— Tu ne le vois pas venir d'ici ?

Après un court instant, elle se retourna vers Max qui était tout sourire.

— C'était pas une chanteuse que vous cherchiez. Guitariste.

— Je sais, mais on s'amuse.

— Non, tu veux t'amuser à mes dépens.

Il secoua la tête.

— Laisse-toi donc aller. C'est ainsi que tu vas prendre ta place. Le groupe, c'est pas les For Ladies et Aude.

Elle soupira, résignée.

— OK. Dans ce cas, laisse-moi deux secondes... *Christ Alone*.

— Joue, les autres vont suivre.

Il se tourna vers Justin. Même les *back vocals* vont être de mise. Justin roula des yeux, mais acquiesça tout de même. Aude hocha la tête.

— Mais aucune moquerie, sinon je prends la porte.

— Pas de misère à te croire, t'es une vraie bombe à retardement, lâcha Matt.

— Une bombe tout court, commenta Ben, faisant pouffer de rire les autres à la vue du pourpre qui couvrait les joues de la jeune femme.

Matt mit la main sur le genou de la belle brune pour la dégêner. Elle se tourna vers lui.

— Ne t'en fais pas, Ben court après ce qui a de longues jambes.

Elle posa les yeux sur ses grandes cannes.

— Et il n'y a pas à dire, t'as de longues jambes !

Max s'étouffa tant il se tordait de rire.

Aude capitula. Elle y était. C'était leur monde.

— Bon, ça suffit les conneries. Laissez mes jambes tranquilles !

Elle gratta quelques cordes, puis Max, qui avait repris son sérieux et l'observait, commença à jouer quelques accords lui aussi pour l'accompagner. Aude finit par chanter et Justin se joignit à elle.

Ils s'amusèrent un moment, enchaînant plusieurs pièces musicales, certaines du groupe, d'autres pour le plaisir. Le soleil se perdait dans l'horizon quand Max se leva, après une dernière chanson.

— On va manger un morceau ?

Tout le monde acquiesça. Aude tendit la guitare à Ben, qui la prit et lui fit un clin d'œil complice. Elle lui sourit. Elle ramassa son sac et enfila son manteau. Ils fermèrent les lumières du studio, verrouillèrent, puis sortirent dans les chaudes couleurs de l'automne. Aude se laissa guider jusqu'au restaurant.

On les avait installés en retrait pour qu'ils soient tranquilles et qu'ils puissent apprécier un bon repas et se détendre. Une jolie serveuse vint prendre leurs commandes et ils furent servis rapidement. Ben, assis aux côtés de Aude, la taquinait sur son air fatigué.

— Quand tu auras fait un face-à-face avec une Mercedes, tu viendras me montrer la tronche que t'auras ! le darda-t-elle.

Les autres rirent.

Tous mangèrent et discutèrent de bon cœur, les heures fuyant, leur glissant entre les doigts. Max se leva et alla payer la note, puis les membres du groupe enfilèrent leur manteau. Ils se dirigèrent vers la sortie, remerciant la serveuse qui leur envoya la main, comptant son pourboire. Une fois à l'extérieur, Aude monta le col de son manteau. Ben remarqua la petite poule frissonner et passa son bras autour des épaules de la belle brune, qui le fusilla du regard, arquant un sourcil.

— J'ai pas encore assez bu pour ça.

Les autres sourirent, se retenant pour ne pas éclater de rire aux larmes. Ben retira son bras, souriant à pleines dents à la jeune femme.

— Un jour, tu boiras.

Elle lui rendit son sourire.

— Jamais assez !

Et ils rirent tous de bon cœur. Ils se saluèrent, décidant de mettre fin à la petite soirée, et se donnèrent rendez-vous au bar le lendemain après-midi. Max reconduit Aude chez elle. Une fois arrivée, la jeune femme ouvrit la porte et invita Max à entrer, ce qu'il fit. Elle lui fit signe de passer au salon. Il alla s'asseoir. Elle fit de même.

— J'y pense. Tu me donneras tes papiers que l'on commence à te payer.

Elle rit : l'argent était bien la dernière chose à laquelle elle avait pensé récemment. Elle acquiesça.

— Bien. Une chose de réglée. N'apporte pas ta Gibson demain, on ne jouera probablement pas.

— Ah non ?

— Non.

Elle plissa le nez. Il ne lui en dirait pas davantage. Elle se résigna. Il remarqua bien qu'elle avait vu clair dans son jeu, mais il joua. Elle verrait en temps et lieu. Elle haussa les épaules, se levant.

— Je reviens.

Elle disparut un instant, puis revint avec ses papiers en main, qu'elle lui tendit. Il les prit et les glissa dans son manteau.

— À bien y penser, on n'a même pas discuté salaire.

Elle pencha la tête, se frotta le front – foutu mal de bloc !

— Ton prix sera le mien.

Il sourit.

— Je n'ai pas l'habitude d'exploiter mes artistes. Tu seras grassement payée, sans oublier le traitement VIP.

Elle sourit, secouant la tête.

— Dans quoi est-ce que je me suis embarquée, veux-tu bien me le dire ?

— Dans un long voyage. Tu verras le monde, les cultures, les foules, tu connaîtras la musique.

Il remarqua qu'elle souriait drôlement, presque pour elle-même.

— Quoi ?

Aude leva les yeux vers lui.

— Rien.

— J'ai l'air d'une valise ?

Elle rit.

— Tu ne veux pas sérieusement que je réponde à ça...

Il lui fit la moue.

— Allez, déconne pas.

Elle se résigna.

— Je ne sais pas, c'est comme si j'avais déjà tout vu, tout entendu. Plus rien ne m'atteint, ou encore tout me touche. J'ai pas les mots, j'ai pas les accords pour exprimer ça. Virginia Woolf avait écrit : Mais le Seigneur, je le supplie qu'il me laisse passer. Et nous, l'humanité, nous faisons tout pour que le corps demeure cramponné à son fil de fer. Nous faisons fi des yeux et des oreilles ; nous le clouons là, avec un flacon de médecine, une tasse de thé, un feu agonisant, comme un corbeau sur la porte d'une étable, mais un corbeau qui vit encore. Avec un clou dans le cœur. Eh bien, moi je suis probablement ce corbeau cloué à la porte du monde. Je ne peux ni y entrer ni le fuir. Je me suis toujours sentie à part. Bien accueillie, mais dans une éternelle solitude, dans le silence, pour crier un mal qui m'est inconnu depuis toujours. Le pourquoi de la toute première question, qui toujours reste sans origine, sans réponse.

Max l'écoutait, se laissant saisir par les mots, par cette ouverture. Elle tiqua.

— Mon île semble avoir été engloutie.

Il lui sourit.

— Désolée, je délire...

— Pas du tout. Il vient un moment où on se retourne tout seul dans notre lit, dans nos draps vides.

Ils restèrent un moment en silence. Il décida que c'en était assez de cette journée. Il était tard, elle avait besoin de repos, il le voyait bien. Il se leva.

— Bon, loin de moi l'idée de te faire sentir inintéressante, mais je vois bien que justement tes draps t'appellent. Question que demain tu prennes des nouvelles de ta mère, et on te verra ensuite le bout du nez au bar.

Elle acquiesça, pas fâchée d'aller visiter enfin le confort de son lit. Elle le raccompagna. Il se retourna.

— Bonne nuit, et verrouille derrière moi.

— Oui, monsieur papa.

— Mais sans blague, je me demande si parfois ça t'arrive d'oublier que tu es sur terre.

Elle sourit.

— Plus souvent que tu ne peux te l'imaginer.

Il lui rendit son sourire.

— Bonne nuit.

Il hocha la tête, puis la salua.

— Merci.

Il se retourna.

— Merci de m'avoir raccompagnée.

Il réprima un sourire.

— Quoi ?

Il regarda de côté.

— Maxence Howard !

— Je me suis dit que ce n'était pas un bon coup de te faire raccompagner par Ben.

Elle rit.

— Effectivement. Peut-être pour lui, mais très peu pour moi.

— Je me suis toujours demandé, et Dieu sait que je le connais depuis longtemps, ce qui clochait chez lui. Il a une belle gueule, tout un style, mais toujours sans copine. Quoique ce ne soit pas les...

— Pouffiasses de groupies...

— Disons ça comme ça... qui manquent autour de lui.

Elle tiqua.

— Pour ma part, je l'apprécie, mais il n'est pas trop dans mes cordes : cheveux noirs, *piercings* et tatouages.

Max arqua le sourcil.

— Ah non ?

Il la regarda des pieds à la tête.

— Je suis certain que tu caches un tatouage. Et les *piercings*, c'était pour faire damner ta mère ?

Elle rit à s'époumoner.

— Pas vraiment, quoique peut-être un peu. Et t'as vu juste, j'ai aussi un tatouage, mais je le garde bien pour moi.

Elle lui fit un clin d'œil.

— Mais ce que je trouve bien sur moi, je ne le cherche pas nécessairement chez l'homme idéal. Disons que mon ex-copain, c'était pas le standard du rockeur.

Elle regarda le sol, puis revint à Max.

— Cravaté !

— Oh... je vois.

Ils avaient tous deux cette expression de dégoût.

— Bon, j'y vais. Bonne nuit. À demain.

Elle lui envoya la main.

— À demain.

Étrangement, elle se dirigea vers la porte et sortit sur son balcon. Elle vit Max s'éloigner, les mains dans les poches, dans les lumières nocturnes de la Grosse Pomme. Elle retourna à l'intérieur, rongée par le froid de l'automne. Elle alla prendre son portable, se dirigea vers son lit et sauta sur le matelas. Elle texta sa sœur.

Comment va ?

Elle se rongea les ongles.

Bien. Ça roule. Toi, ça va ?

Elle soupira de soulagement. Puis s'empressa de répondre.

Oui. T'inquiète pas ! Je vais lâcher un coup de fil ou passer demain après-midi. Bonne soirée, ma poulette ! Kiss *à tout le monde.*

Elle déposa son portable sur sa table de chevet, rassurée. Elle se terra dans ses draps et tourna un peu, puis s'endormit.

Chapitre 10

Icône

14 h: elle les attendait à l'entrée du bar sous la froide pluie d'automne. Elle rabattit son capuchon sur ses belles boucles. Mais quelle surprise! Des rockeurs à l'heure? C'était beau de rêver! La porte s'ouvrit derrière elle, Max sortait.

— Salut.

— Salut, lui répondit-elle, blasée.

Il rit doucement.

— Note à moi-même: ne jamais arriver à l'heure. Toujours être en retard d'au moins 10 minutes lorsqu'il est question d'un rendez-vous avec le groupe.

Max acquiesça. Il ne pouvait contester. Finalement, ils virent arriver, sous les fines gouttelettes, les trois membres du groupe, un café à la main. Bande de vedettes divas! Les faire attendre de la sorte!

— Hé! leur fit signe Ben, qui remarqua bien l'air d'Aude.

Par chance, elle n'avait pas de mitraillette dans les yeux, elle les aurait probablement canardés tous les trois. Max partit chercher sa voiture. Il s'arrêta devant le bar. Justin monta à l'avant, Matt et Ben prirent les places derrière, laissant la banquette du milieu à la jeune femme, pas fâchée du tout de s'asseoir seule. Max s'arrêta à un service à l'auto, puis une fois la commande en main, il se retourna vers la belle brune, lui tendant un café. Il lui sourit mesquinement. Elle le remercia, souriant de toutes ses dents aux trois autres. Finalement, la voiture s'immobilisa pour de bon devant un immense édifice.

Sweet Skin

Aude interrogea Matt du regard, mais il se contenta de sourire ; ils étaient tous du secret, bande de machos capitalistes ! Elle haussa les épaules une fois de plus, faisant rire les hommes.

— T'as hâte ?

— Non, tu penses ! ? ? !

Ben se tapa sur les cuisses.

— Du caractère, mes amis. Attention, elle mord.

Elle se retourna vers lui.

— Tu crois ?

Matt donna un coup de coude à Ben.

— C'est vrai qu'elles sont dans tes cordes celles qui mordent, hein, Ben ?

Il fit un clin d'œil à Aude qui plissa le nez, se renfrognant.

— Non merci. Trop peu pour moi.

Les autres rirent, c'était de bonne guerre. Ils sortirent du véhicule, puis gagnèrent le hall d'entrée, la pluie se faisant un peu plus insistante. Aude regarda cette immense pièce dans le genre rétro. Les plaqués métalliques emplissant l'espace, les lumières aveuglantes, les meubles chics. Un homme on ne peut plus efféminé vint à leur rencontre.

— Bonjour, monsieur Howard. Messieurs.

Il posa les yeux sur la belle brune.

— Oh ! Toutes mes excuses, mademoiselle.

Elle lui sourit. Il revint à Max, qui lui tendit son manteau, et les autres firent de même. Il les conduisit dans une autre pièce, un énorme salon de coiffure. Aude sourit, se retournant vers leur gérant. Il hocha la tête.

— Traitement royal.

Aude tapa des mains, telle une gamine. Elle était survoltée. Une journée enfin pour elle. Soudainement, elle eut une pensée pour sa poupoune de sœur.

— Dis, je peux inviter quelqu'un ?

Il arqua le sourcil, mais hocha tout de même la tête. Elle prit son portable et composa.

— Salut. C'est ta sœur. Enfile ton manteau, un taxi viendra te chercher... Non, c'est pas une blague. OK, *bye*.

Finalement, la princesse Lewis apparut dans le cadre de porte. Elle figea lorsqu'elle entra dans l'édifice, voyant cette bande de poilus, pas du tout dans ses cordes. Aude lui fit signe de venir les rejoindre. Ophélie secoua la tête, raide comme une barre ; s'il y avait bien une autre chose qui différenciait les deux sœurs, c'était bien cela : Aude fonçait tête baissée, tandis que sa jeune sœur, beaucoup plus posée, réfléchie et gênée, hésitait souvent. Oui, non. J'y vais, j'y vais pas. Aude fit signe aux autres qu'elle revenait dans quelques minutes. Elle leva les bras au ciel.

— Tu viens ? On n'a pas toute la journée pour te désirer, princesse.

— Tu aurais pu me dire qu'on passait la journée en compagnie de messieurs. De quoi j'ai l'air ! Pas maquillée, c'est tout juste si j'ai eu le temps de prendre une douche.

Aude sourit, secouant la tête.

— Si tu savais comme ils s'en foutent. C'est tout juste s'ils prennent une douche tous les jours. Et je suis certaine que Justin va tomber dans ta palette. Entre divas, vous devriez vous comprendre.

Ophélie fit la moue.

— C'est ça, moque-toi tant que tu veux.

Aude la prit par les épaules et la tira vers les autres.

— Les gars, ma petite sœur.

Ils la saluèrent.

— Si vous trouvez que je suis irritable, vous n'avez rien vu.

Ophélie donna un coup de coude dans les côtes de sa sœur, faisant rire les autres. Justin s'avança, lui tendant le bras qu'elle prit.

— Mademoiselle.

Et ils se dirigèrent vers les sièges, où les attendaient des coiffeurs métrosexuels. Ils les regardèrent s'éloigner. Max s'approcha de la jeune femme, tandis que Matt et Ben imitèrent Justin.

— Même face.

Elle se retourna vers lui.

— Je sais.

Elle lui sourit.

Il pencha la tête dans leur direction, invitant Aude à aller s'installer elle aussi.

La coiffeuse, les cheveux bleus avec de beaux reflets fuchsia, montrait à la belle brune plusieurs coupes et colorations, mais pas question pour Aude de céder sur la longueur de ses cheveux. Pas question non plus d'avoir l'air d'une de ces chanteuses rock dépravées. Résignée, la coiffeuse revint, un plateau plein de produits et de rallonges.

Elles se mirent finalement d'accord et Aude ne sortit du salon de coiffure et de maquillage que deux heures plus tard pour aller rejoindre les autres à la salle d'essayage. Lorsqu'elle franchit le seuil, la mâchoire de Ben se décrocha littéralement, raflant le sol. Ophélie sourit. Max était sans mot, Matt et Justin clignèrent des yeux pour se convaincre qu'ils n'avaient pas été victimes de vision. Aude rougit, observant la réaction des autres. Un styliste claqua des mains, ramenant tout le monde sur terre. Ben secoua la tête ; décidément, la barre était haute. Le styliste en question s'approcha de la jeune femme, tandis que les autres se remettaient au boulot.

— Voilà des couleurs qui m'inspirent, dit l'homme, prenant une mèche de cheveux entre ses doigts.

Il l'entraîna vers l'une des tringles où étaient accrochés des tonnes de vêtements. Il la fit entrer et sortir maintes fois avec des ensembles différents. Après plusieurs essais, il en donna un dernier à Aude ; pendant ce temps, il en profita pour prendre la nouvelle garde-robe, l'emballer dans un énorme sac et la faire livrer, ainsi qu'un double de celle-ci expédié avec les ensembles des membres du groupe pour la tournée, tel que demandé par M. Howard. Elle sortit finalement, tous les autres étant déjà rendus dans une autre salle pour une séance photo. Son styliste la regarda de la tête aux pieds, la main plaquée contre la joue, l'air admiratif. Aude lui sourit.

— J'aime.

— Moi aussi.

Il hocha la tête, satisfait.

— Bon, allez, mademoiselle, on vous attend dans la pièce voisine. Ils ont terminé les photos portraits, il ne reste plus que la vôtre et celles du groupe.

Elle acquiesça, le remercia, puis rejoignit les autres. Elle s'arrêta aux côtés de Max, qui regardait Justin faire la diva devant l'appareil photo, encouragé par Ophélie. Il posa les yeux sur elle, souriant, content. Elle pinça les lèvres, voyant bien le petit air qui se dessinait sur le visage du gérant. Le photographe se releva, faisant signe à Aude et à Ophélie de le rejoindre.

— Une photo pour les poulettes ?

Elles hochèrent la tête. Il prit plusieurs clichés des deux sœurs. Par la suite, ce fut l'heure pour Ophélie de quitter le groupe.

— Je vais la faire raccompagner, je lui appelle un taxi.

Aude acquiesça, Ophélie enfila son nouveau manteau, et une femme lui tendit son sac de vêtements tout neufs.

— Merci.

— De rien.

Elle prit sa cadette dans ses bras. Elle relâcha son étreinte.

— Dis à maman que je passerai bientôt.

La jeune fille hocha la tête.

— Ton carrosse est arrivé, princesse, lui dit Max.

— Allez, va. On se voit bientôt.

Ophélie lui sourit.

— OK. *Bye*.

Elle lui envoya la main, courant vers Max qui lui prit son sac et lui porta jusqu'à la voiture.

— À toi, beauté.

Aude se retourna vers le photographe.

— Ensuite, on fera celles de groupe.

Elle lui sourit, le rejoignant. Elle se mit devant l'objectif.

Max revint, observant la scène: Aude, en beauté. On lui avait laissé sa longue tignasse épaisse, mais on lui avait aplati ses belles boucles et coupé une courte frange qui lui traversait le visage. On avait blondi et balayé le dessus de sa tête de mèches fuchsia éclatant, et laissé ses longues mèches brun chocolat dessous. On lui avait ramené le tout avec un bandeau noir qui donnait du volume. C'était très audacieux, mais pas trop rock. Ça lui ressemblait: haut en couleur! Et grand Dieu, ce qu'elle portait lui allait à ravir. On était loin de la robe courte. Un jeans noir très chic taille basse, laissant se dessiner sans les mettre à nu de belles hanches, sans négliger un haut ajusté noir et fuchsia, décolleté juste ce qu'il fallait.

Aude prit la pose pour le photographe, très à l'aise dans son nouveau look. Pour une fois, elle se sentait femme, mais à son image. Ben n'avait qu'à bien se tenir! Puis, vint le moment de prendre la photo de groupe. Les gars jouèrent du coude pour décider qui prendrait place près de la jeune femme, et ce fut finalement le photographe qui trancha sous le regard amusé de leur gérant.

Après plusieurs clichés, le photographe eut sa photo et tout le monde fut content de pouvoir aller se reposer. Max les amena manger un morceau. *Sushi time*. Rien n'aurait pu rendre Aude plus heureuse. Journée de fou et des sushis pour couronner le tout. Elle avait même le goût de lever le coude. On leur apporta des tonnes de plateaux de sushis, et ils mangèrent et burent avec appétit.

Tout à coup, Aude fouilla dans son sac et saisit son portable. Les autres se turent.

— Salut, Greg, c'est Aude. Oui, merci. Toi? Je peux te demander quelque chose? T'es ouvert ce soir? Jusqu'à 22 h? OK. On se voit tout à l'heure.

Elle raccrocha. Elle remarqua les autres, arquant le sourcil.

— Quoi ?

— C'est qui, Greg ?

Elle pouffa de rire.

— Mon frère.

— T'as un frère en plus de princesse ?

Elle acquiesça.

— Et un autre petit frère encore plus jeune. Lui aussi fait de la musique.

Elle rit en voyant l'air surpris des autres.

— Je vous réserve une petite surprise, moi aussi. Et il y a juste moi qui suis au parfum.

Elle leur sourit mesquinement.

— Mais il faut arrêter de boire.

Ils grognèrent de déception, mais se plièrent à sa demande. Ils terminèrent leur repas et gagnèrent la voiture de Max ; Aude lui donna les indications. Lorsqu'ils arrivèrent devant le salon de Greg, ils comprirent. Ben sauta presque de joie. Justin un peu moins. Elle sortit du véhicule, suivie des autres. Ils entrèrent dans la boutique. Aude fit l'accolade à son frère qui salua d'un hochement de tête les membres du groupe. Ils firent de même.

— Je te présente les For Ladies.

— Et qu'est-ce que je peux faire pour les For Ladies ?

— Au choix, mais ils ne sortent pas d'ici sans un petit plus.

Ben posa les yeux sur les murs du salon, puis revint à Greg.

— C'est de toi les graffitis ?

Greg acquiesça, fier.

— Eh bien, je suis partant, c'est du grand art.

— Je suis flatté.

Il lui fit signe de le suivre et de s'installer sur la chaise. Ben opta pour un tatouage sur l'avant-bras qui rallongerait un peu sa manche.

Une fois celui-ci terminé, ce fut à Justin qui ne voulait rien savoir d'un *piercing* ou d'un tatouage apparent. Aude regarda son frère.

— Il ne reste plus que deux choix.

Inquiet, Justin se retourna vers la jeune femme.

— Tu peux bien rêver avant que je me fasse percer le tu-sais-quoi !

Elle rit.

— Alors, il ne te reste plus qu'un choix.

C'est tout juste si les larmes ne montèrent pas aux yeux du chanteur, qui, résigné, remonta son chandail et alla s'asseoir sur la chaise, le regard horrifié à la vue de l'aiguille et du bijou que sortait Greg. Il ferma presque les yeux durant les quelques secondes que dura l'intervention.

— C'est tout ?

Greg acquiesça, lui souriant. Fier, Justin se leva de la chaise, serrant la main du perceur, tout content de son *piercing* au mamelon. Aude rit. Matt opta pour un second *piercing* au sourcil et Max, avec l'accord d'Aude, passa son tour. Vint celui de la jeune femme.

— Alors, Aude, qu'avais-tu en tête ?

À la grande surprise de tout le monde, à part Greg qui connaissait bien sa sœur et savait qu'elle n'avait aucune inhibition, la jeune femme enleva le chandail violet moulant qu'elle avait enfilé après avoir retiré le haut fuchsia de la séance photo ; elle n'avait plus que son jeans moulant taille basse et son soutien-gorge lorsqu'elle prit place à cheval sur le siège – pour le plus grand plaisir de Ben.

— Un poisson. Un très beau poisson.

Greg acquiesça.

— Ah ! Et aussi, fais un *piercing* de surface, dans le style petits diamants de rien. Je veux que ça brille.

Il sourit, secouant la tête. Quand Aude avait quelque chose dans la tête, elle ne l'avait pas dans les pieds ! Il se mit à l'ouvrage sous le regard intéressé des autres. Il ne resta plus que le *piercing*, et le tout fut terminé. Contente, Aude se rhabilla. Elle embrassa son frère qui fit à son habitude cette face de dégoût, fidèle à lui-même.

Tout le monde ayant son nouveau quelque chose, Aude serra dans ses bras une dernière fois son frère, les autres le remerciant, quittant le salon.

— Pourquoi un poisson ? lui demanda-t-il, tandis que les membres du groupe montaient dans la voiture.

— Peut-être que maintenant je me sens comme un poisson dans l'eau.

Greg lui sourit : comme Aude, il avait toujours eu de la difficulté à s'inscrire dans le monde. Il était venu à l'esprit de la jeune femme que vivre ça faisait mal parce qu'il fallait trouver le pouvoir d'être fort et que finalement, avec un peu tout le monde, on partageait des douleurs qui ne nous appartenaient pas vraiment. Elle se disait que, malgré toutes les tentatives pour casser ses malheurs, il fallait savoir choisir ses combats ; ne pas perdre un temps précieux pour des petits cancers. Sinon, on en venait à se demander si l'on n'était pas mort-né, si l'on n'avait pas avorté d'un monde qu'avant même d'y mettre les pieds on aurait rejeté. Elle se demandait si l'on avait un jour voulu en faire partie. Si, de là-haut, on ne portait pas rancœur à cette humanité qui humiliait les homosexuels, battait ses maillons faibles, violentait ses femmes, abusait ses handicapés et oubliait ses mères. Elle venait à croire au plus profond d'elle-même que l'on rejetait cette réalité. Mais comme la vie était ce que l'on en faisait, il valait mieux mettre la main à la pâte. Il fallait, comme son frère, garder la tête haute. Que le ciel tombe, que la marée engloutisse tout ou que les gens tuent, rien ne devait venir à bout de cette force, de cette essence même qui faisait des hommes des êtres extraordinaires, même si le monde manquait grandement d'amour.

— Bon, je dois y aller, les autres m'attendent. Mais je t'envoie une paire de billets.

Il acquiesça, la regardant quitter le salon. Minuit passé. Il ferma les lumières.

Max alla reconduire tout le monde chez eux ; il déposa Aude devant la tour. Il baissa la vitre, elle s'appuya sur le cadre.

— Merci, c'était une belle journée.

Il lui sourit.

— De rien. Oh, je voulais savoir : tu penses que ton frère pourrait faire nos affiches et notre pochette d'album ?

Aude arqua le sourcil ; il la niaisait ?

— Tu veux que Greg travaille sur le nouvel album ?

Il acquiesça.

— J'ai vu son art et ça rejoint très bien le style du groupe.

Elle hocha la tête, souriante.

— Donne-moi ton portable, lui demanda-t-elle.

Elle y entra le numéro de Greg.

— Je te laisse le plaisir de le lui annoncer.

— Bon, va te coucher, demain on enregistre au studio. Je passe te prendre ?

Elle hocha la tête.

— Bien alors, vers midi. Bonne nuit.

Elle partit, lui envoyant la main. Il la regarda entrer dans l'immeuble. Il attendit un moment avant de partir, attendant de voir le loft de la jeune femme s'illuminer.

Aude rentra, verrouilla, alla déposer ses clés, son sac à main et l'énorme sac contenant sa nouvelle garde-robe sur la table. Elle alla se planter devant sa porte-fenêtre, voyant la voiture de luxe s'engager sur la voie de desserte. Elle bâilla, complètement exténuée. Un dernier coup d'œil aux édifices tout en lumières, puis elle se dirigea vers la salle de bain.

Elle ouvrit la lumière, puis se posta devant son miroir. Nouvelle vie, nouveau style, nouvelle Aude. Non, elle était toujours là, tapie dans l'ombre du maquillage et des parures. Les couleurs ne changeaient pas qui elle était. Elle se gratta la nuque, se rappelant son nouveau tatouage. Elle sourit, retirant ses nouveaux vêtements, qu'elle prit la peine de plier et de déposer sur la laveuse. Des peaux de protection, des armures face au monde, face à l'opinion des autres. Bouts de tissus auxquels les gens n'accordaient que trop d'importance. Elle posa les yeux sur sa cuisse, sur la branche de pommier en fleurs, puis se décida finalement à sauter dans la douche, question d'enlever ce masque de maquillage.

Elle sortit, s'enveloppant dans une serviette, et regagna sa chambre, se laissant tomber sur le lit. Elle tourna la tête vers son réveil : 1 h 53. Elle devait vraiment dormir. Elle laissa tomber la serviette sur le sol et se glissa sous les couvertures, nue comme un ver. Elle se tourna sur le côté, enfouissant sa tête dans l'oreiller. Dormir. Faire le mort l'instant d'un moment. Juste se reposer une petite seconde.

Chapitre 11

Copie conforme

Elle se réveilla, le soleil avait déjà empli la pièce. Elle s'étira, tel un chat, bâillant. Elle sortit des draps, saisissant un chandail long qu'elle enfila, cachant tout juste sa fesse. Elle se gratta la tête, se dirigea vers le frigo... où il n'y avait rien de plus que la dernière fois. Elle haussa les épaules, se dirigeant vers le sac de vêtements sur la table. Elle en sortit les morceaux qu'elle déposa, bien pliés. Elle fit finalement son choix, retournant dans la chambre avec l'ensemble. Elle fredonnait, déposant les vêtements sur son lit, se dirigeant vers la commode. Elle retira le chandail qu'elle laissa tomber sur le sol, ouvrit un tiroir, en sortit une petite culotte et un soutien-gorge qu'elle enfila. Elle se retourna et prit les vêtements qu'elle enfila aussi. Elle se planta devant le miroir; pantalon ajusté, chandail gris foncé par-dessus lequel elle avait passé une veste longue blanc cassé qui lui descendait jusqu'à la mi-cuisse. Elle alla prendre un bracelet qu'elle passa par-dessus la manche de son chandail, une paire de boucles d'oreilles de plumes blanches, et passa un foulard tout simple autour de son cou. Satisfaite, elle ouvrit sa garde-robe, en sortit une haute paire de bottes à talons en cuir, montant jusqu'aux genoux, qu'elle se passa aux pieds. Elle jeta un dernier coup d'œil dans le miroir, puis se dirigea vers la salle de bain, où elle se maquilla avec plaisir, remontant ses cheveux d'un bandeau noir. Elle faillit se faire un clin d'œil... mais se contenta de réprimer un rire. Elle quitta la pièce, fermant les lumières derrière elle, gagna la cuisine où elle ramassa sac et clés, puis quitta son loft, verrouillant derrière elle.

Une fois dehors, elle remonta la fermeture éclair de son manteau et son sac sous le bras, elle entra dans un édifice quelques rues plus loin. Porte 665. Elle frappa et on vint lui ouvrir. Le visage de Jamy s'illumina lorsqu'il vit le nouveau look de sa sœur. Elle lui rendit son sourire, il la laissa entrer.

— Maman, Aude est là.

Débora sortit de la salle de bain, saluant sa fille.

— Salut, maman.

— Salut, ma petite gomme baloune, en référence à sa nouvelle couleur de cheveux.

Elle connaissait les goûts conservateurs de sa mère en ce qui avait trait à la mode. Aude ne put que rire. Sa mère vint l'embrasser.

— Viens, j'ai fait du café, je devais avoir un pressentiment.

— Je pense plutôt que tu fais du café toutes les heures !

— Il y a probablement un peu de ça aussi !

Elles rirent et Jamy revint, une guitare à la main.

— Regarde ce que j'ai appris cette semaine.

Il se mit à jouer un morceau des meilleures années du rock : *The Trooper*, du célèbre groupe Iron Maiden.

— Wow !

Aude fut surprise de voir comment Jamy maîtrisait bien la pièce musicale. Elle le laissa terminer son solo légendaire ! Il les salua et elles rirent avec lui. Elle se retourna vers sa mère.

— C'est papa qui doit capoter.

Aude sourit, se retournant vers Jamy qui déposait sa guitare dans le coin du salon.

— Euh, jeune homme, cette Gibson ne restera pas dans le coin de ce salon.

— Non, maman, répondit-il, résigné.

Aude s'approcha.

— On va enregistrer tout à l'heure, ça te dirait de venir voir à quoi ressemble un vrai studio d'enregistrement ?

Il hocha la tête.

— OK, mais attends, je vais demander à Dieu le père si c'est possible.

Elle sortit son portable et composa.

— Max… c'est moi… Oui, ça va. Toi ? Oh ! Tu dormais ? Désolée… Comment ça je ne suis pas vraiment désolée ? J'avais quelque chose à te demander… Dans le genre princesse mais plus rock… Ah, ah ! Ça ressemble pas mal à ça ! Si on venait à sortir ensemble, j'aurais même pas à te présenter ? OK, ça te va ? Tu passes nous chercher ? Tu sais la tour à condos de riches en face du BCBG, c'est là. OK. Merci. On se voit tantôt.

Elle raccrocha, hochant la tête. Jamy sautait déjà au plafond. Elle se retourna vers sa mère, les yeux doux.

— Maman ?

Débora roula des yeux.

— Quoi ?

Qu'est-ce que sa fille pourrait bien lui demander cette fois ?

— Maman, est-ce que tu pourrais me rendre un tout petit service ?

Débora attendit. Un petit service dans le genre ça fait trois semaines si c'est pas plus que ta fille est pas allée faire son épicerie et que le frigo est vide… et le linge sale s'empile et la poussière encore plus… Aude rit jaune.

— Ouais.

Débora soupira, puis sourit.

— Tu sais bien que ça me fait plaisir.

Aude saisit son sac et sortit des billets, les tendant à sa mère.

— Tiens, ça paiera les courses.

Débora leva le nez sur l'argent.

— Laisse faire ça.

Aude secoua la tête.

— Merci.

Débora lui fit signe de la tête. Jamy arriva, sa guitare à la main. Aude rit.

— Laisse faire ta guitare, c'est pas ça qui manque là-bas !

Il secoua la tête.

— Non, je ne joue qu'avec elle.

Aude rit et hocha la tête.

— Comme tu veux.

Aude regarda l'heure.

— Bon, il faudrait penser à y aller, il va passer nous chercher.

Elle se retourna vers sa mère qui rangeait la vaisselle.

— Je te le ramène après.

— T'es mieux !

Elle sourit à sa fille. Aude fit signe à son frère qu'ils y allaient. Ils saluèrent Débora et fermèrent la porte. Débora se gratta la tête. Toute seule ? Une journée pour elle ? Qu'est-ce qu'elle ferait bien... ? Elle se prit un café. Elle commencerait par cette tasse et pour la suite, elle verrait, haussant les épaules.

Chapitre 12

Trame sonore

Aude et Jamy descendirent les étages, puis sortirent dehors. C'est alors qu'ils virent la voiture de Max se garer devant eux. Il baissa la fenêtre, souriant déjà au jeune garçon. Jamy rougit un peu.

— Salut, jeune homme.

— Salut, répondit-il timidement.

Max leva les yeux sur Aude.

— Vous montez ? lui demanda-t-il, lui faisant un clin d'œil.

Aude poussa Jamy qui prit place derrière avec sa sœur. Max démarra, s'engageant dans la voie. Ils roulèrent un moment avant que Max se stationne. Ils sortirent tous, se dirigeant vers le studio. Une fois à l'intérieur, Max fit signe à Jamy de s'installer. Il s'exécuta et Aude fit de même. Une fois les manteaux enlevés, les micros et les guitares branchés, Jamy gratta quelques cordes et s'accorda. Max vint les rejoindre, s'assoyant en face d'eux, remarquant la ressemblance marquante entre Aude et son frère. Il sourit. Aude leva les yeux de la guitare sèche et vit l'expression de Max.

— Même face.

Il rit. Jamy aussi. Elle regarda son jeune frère.

— Qu'est-ce qu'on joue ?

— Tu connais les paroles de *Rolling in the Deep,* d'Adele ?

— Qui ne connaît pas !

Jamy hocha la tête et gratta les cordes. Aude le suivit. Et pour une fois, les paroles vinrent facilement, en toute simplicité, sans gêne, juste pour le plaisir.

There's a fire starting in my heart...

Aude terminait le dernier couplet après le petit solo lorsque les membres du groupe entrèrent, apercevant le jeune garçon et sa sœur. Ils vinrent rejoindre Max qui s'était enfermé dans la salle d'enregistrement pour les observer et les enregistrer à leur insu. Lorsque Aude les vit, elle roula des yeux, mais termina tout de même. Ensuite, les autres vinrent les rejoindre et ils se présentèrent à Jamy, qu'on ne pouvait plus impressionner. Quelques minutes plus tard, tout le monde était fin prêt à répéter et à enregistrer. Ils travaillèrent plusieurs pièces, puis Jamy les laissa, rejoignant Max qui les observait et prenait des notes. Il regarda le garçon.

— Ça t'a plu? lui demanda-t-il.

Jamy hocha vivement la tête. Max lui sourit, satisfait. Il se pencha, ramassa une pochette CD et la tendit au garçon, qui la regarda un instant, puis la prit.

— C'est la pièce que tu as jouée avec ta sœur.

Jamy lui sourit mille fois tant il était heureux.

— C'est Aude qui ne va pas être contente...

— Pourquoi?

— Elle n'aime pas ça s'entendre chanter.

Max rit.

— Garde-le pour toi. Elle n'est pas obligée de le savoir.

Il lui fit un clin d'œil. Max hocha la tête, content, complice.

Les heures passèrent, Max et Jamy discutèrent un peu, tandis que les autres enchaînaient les morceaux, les retravaillant un peu.

— Ta sœur... Elle n'est pas facile à vivre!

— Je sais. Elle a son caractère bien à elle. Mais c'est un peu de famille...

— Quoi?

Jamy rit.

— Ma mère dit toujours qu'on ne fait pas des petits chiens avec des petits chats.

— Sur ce point, elle a bien raison. Alors, tu es en train de me dire que c'est de famille...

— Disons qu'Aude est en mille fois plus difficile à vivre que moi...

Ils rirent.

— Mais elle est toujours là pour nous. C'est ma deuxième mère.

Max acquiesça. Un instant passa.

— Disons qu'elle est peut-être ce qu'elle est aujourd'hui parce qu'elle n'a pas toujours emprunté les chemins les plus faciles. Disons que toute la famille, on a tourné plusieurs pages de notre histoire qu'on laisse derrière nous.

— Ce serait indiscret de te demander ce qui est arrivé à ta sœur ?

— En général, Aude a toujours eu de la facilité à s'intégrer ; plus jeune, elle a eu beaucoup d'amis, et plus tard elle a eu quelques petits copains. Mais je pense que le fait d'être l'aînée de quatre enfants, dont le père n'est présent que les fins de semaine, en plus du calvaire qu'elle a vécu avec Greg, c'est peut-être un peu de tout ça qui fait qu'Aude c'est Aude aujourd'hui. Moi, je ne me souviens pas trop de tout ça avant qu'on déménage à New York, mais il y a eu toute une histoire avec Greg et c'est pour ça que mes parents ont décidé de venir ici il y a cinq ans.

Max se contenta de cette réponse, même si elle était plutôt vague, décidant de laisser ces douleurs familiales où elles étaient. Probablement en apprendrait-il plus un jour. Il remarqua que le groupe avait cessé de jouer et ramassait le matériel. Il regarda sa montre. Déjà 17 h 55. Il se leva et Jamy l'imita. Une fois dans le hall d'entrée, Max donna à tous une feuille avec l'emploi du temps futur du groupe.

— Oh, Aude, tu regarderas ton compte de banque, j'ai fait transférer un premier versement.

Elle sourit.

— Bon, reposez-vous bien, on se voit demain au bar, on va essayer de monter le spectacle et tout le flafla qui vient avec. Mettez votre nouvelle garde-robe.

Ils se saluèrent, les autres prenant chacun leur chemin, tandis que Max, Aude et Jamy se dirigèrent vers la voiture. Il les reconduisit chez Jamy. Aude débarqua, salua Max et le remercia. Il baissa la fenêtre.

— Tu fais quelque chose ce soir ?

Jamy fit un clin d'œil à sa sœur et pouffa de rire. Elle secoua la tête, lui donnant un coup de coude dans les côtes. Il s'étouffa, riant toujours. Elle leva les yeux vers Max.

— Donne-moi deux minutes, je vais le reconduire, je fais un coucou à ma mère et je reviens.

Il acquiesça, saluant Jamy qui lui rendit son sourire entendu. Max rit. Il la regarda entrer dans la tour à condos.

Jamy entra, saluant sa mère qui faisait le souper.

— Salut, vous autres.

— Salut, maman, répondit le jeune blond qui disparut déposer sa guitare dans sa chambre, puis revint vers elles.

— Merci, Aude.

Elle lui sourit.

— Ça fait plaisir. Je ne viens pas vous voir assez souvent.

— On t'aime pareil.

Elle sourit.

— Moi aussi, je vous aime, serrant Jamy dans ses bras. Bon, je vais y aller, on m'attend en bas.

— Ah oui ? demande Débora, l'œil mesquin.

Aude lui fit la moue.

— Janette veut savoir !

Sa mère acquiesça vivement.

— C'est ça, moque-toi tant que tu veux, on va juste...

Débora la regarda avec insistance.

— Manger un morceau.

— C'est ça, un beau gros dessert en vue.

— Maman !

Aude se retourna vers son jeune frère.

— Ne t'inquiète pas, s'il y a bien quelque chose qu'on n'a pas eu à lui montrer à ton Ti-Cul, c'est comment ça marche ! Il a ouvert une fois la porte de la chambre sans cogner !

— Oh, maman, arrête, dit Jamy, se cachant la figure dans les mains.

Aude rit.

— Bon, je vous laisse.

Elle embrassa son frère sur la tête, le taquinant. Aude allait sortir.

— Hé, mademoiselle Hard Rock, tu penseras à moi quand tu mangeras des pancakes demain en déjeunant, plutôt que des céréales.

— Merci, maman !

Elle lui sourit et sortit. Débora secoua la tête.

Elle sortit enfin de l'immeuble, se rapprochant du véhicule. Elle s'accota au bord de la fenêtre.

— Qu'est-ce que tu dirais d'aller manger un morceau ? lui proposa Max.

Elle haussa les épaules.

— Pourquoi pas !

Elle ouvrit la portière et prit place sur le siège passager. Max démarra.

Chapitre 13

La boîte

Max lui ouvrit la portière et Aude sortit du véhicule. Ils entrèrent dans le petit restaurant aux odeurs de friture. Max secoua la tête : elle voulait manger un hamburger ! Toute une sortie ! Il lui tint la porte, la laissa passer et la suivit. Ils prirent place sur une banquette dans le coin de la salle. Aude enleva son manteau, le poussant dans le fond avec son sac.

— Tu te rends compte que ton nouveau manteau va sentir la friture en sortant d'ici, tout comme mes habits...

— Relaxe, Batman, les nettoyeurs se fendent le derrière pour nettoyer tout ça.

Il se renfrogna. Elle rit.

— Je peux te poser une question ? lui demanda Aude.

Il se méfia, mais finit par hocher la tête.

— T'as un balai où il faut pas pour être pincé comme ça ?

Il croisa les bras sur son torse, insulté.

— En passant, pour ton info, je ne t'ai pas invitée à venir manger un morceau pour me faire dire que j'ai un balai tu sais où !

Elle rit.

— Bon, tu vois, tu es capable de te relâcher un peu.

Il finit par sourire. Une serveuse vint les voir et ils commandèrent. Leurs assiettes arrivèrent finalement, la serveuse déposant le hamburger devant Aude qui salivait déjà. Elle prit une frite, la trempa dans le ketchup et la porta à ses lèvres. Max l'observa : elle était seule au monde à déguster une frite. Elle leva les yeux vers lui.

— Désolée.

Il lui sourit.

— Pourquoi ?

— J'ai laissé mes bonnes manières au fond de mon sac.

Il rit, haussant les épaules.

— Pourquoi faire compliqué quand on peut faire simple ?

Elle arqua le sourcil.

— Quoi ?

Elle étouffa un rire, avalant le reste de sa fameuse frite gastronomique.

— Polarités opposées, ajouta-t-elle.

C'était à son tour d'arquer le sourcil.

— Euh... pola... quoi ?

— Polarités opposées, c'est-à-dire que tu es dur à suivre.

— Pardon ? Moi, dur à suivre ?

Elle sourit, prenant une bouchée de son burger.

— Mais c'est pas grave, on est deux.

Elle lui fit un clin d'œil. Il rit et prit lui aussi une bouchée. Ils discutèrent un moment. Les assiettes furent vides, les verres de boissons gazeuses remplis pour une seconde fois. Aude prenait une gorgée, mordant la paille entre ses dents, écoutant Max.

— Et puis, finalement, j'ai décidé de former un groupe et voilà où on en est rendus aujourd'hui.

Elle hocha la tête.

— Et puis, on t'a dénichée dans cette mer noire de monde. Et toi ?

Elle se redressa.

— Moi ?

— Ton histoire ? Le parcours d'Aude Toutcourt.

Elle baissa les yeux, décrivant un petit cercle avec son index sur le bois de la table. Il lui laissa le temps. Elle se mordit la lèvre.

— C'est loin, tout ça. Derrière, dans un autre pays. Depuis cinq ans, c'est la Aude Lewis, travaillant dans une petite maison d'édition, visitant sa famille...

— Et ?

Elle eut un sourire amer, pinçant les lèvres.

— Et cette pouffiasse sur ma table de cuisine, les vêtements de ce pourri balancés du haut de mon balcon, et puis... l'audition, la guerre froide qu'on se mène et ce hamburger.

Il hocha la tête.

— Et avant la Aude Toutcourt ?

Elle leva enfin les yeux.

— Tu veux dire celle avant la Grosse Pomme ?

Il acquiesça. Elle soupira, secouant la tête, voyant tous ces souvenirs refaire surface, grattant les cicatrices. Elle haussa les sourcils, seule, ouvrant grands les yeux, loin en elle.

— Tu veux vraiment ouvrir la boîte de Pandore, Max ?

Elle secouait la tête, désapprouvant.

— Il y a si longtemps que je l'ai enterrée...

Il se leva. Elle le regarda, l'interrogeant du regard.

— Viens, je te reconduis.

Elle acquiesça, enfilant son manteau. Max régla la note et ils furent de nouveau assis dans le véhicule. Il démarra et, après quelques feux de circulation, il se stationna devant la tour à lofts. Elle resta là un moment. Il sortit, lui ouvrit, puis l'accompagna jusque chez elle. Elle déverrouilla, ouvrit la lumière et se retourna vers lui.

— Entre.

— Tu es certaine ?

Elle hocha la tête. Il s'exécuta. Elle l'invita à s'asseoir et alla chercher une bière à Max, assis devant elle, dos à la baie vitrée, où les lumières de la ville scintillaient. Le silence s'installa, puis Max se pencha vers elle.

— Tu rumines ça depuis longtemps.

Elle acquiesça vivement et leva les yeux vers lui.

— Tu as vu le film *La fontaine,* avec Hugh Jackman ?

Il hocha la tête.

— Eh bien, c'est un peu comme ça. La vie. La maladie qui ronge, l'inquisition espagnole, le roman, l'histoire, le rêve. Tout se bouscule. C'est difficile de faire la distinction, de palper le vrai et de ne pas se laisser tromper. De croire que tout est parfait quand ça ne l'a pas toujours été. Même si le présent est rose, les marques y sont toujours ; nos pieds qui ont raflé le sol, qui se sont écorchés, ne cicatrisent qu'en surface.

Devant Max, la fleur s'épanouissait autant qu'elle se fanait, s'ouvrant à lui.

— Greg, c'est à son histoire que tu fais référence.

Elle braqua ses yeux vitreux sur lui.

— Ce n'était pas seulement son histoire, c'était celle de toute une famille. Celle d'un enfant différent et de sa famille, sur qui la misère, les douleurs et les méchancetés ont déferlé. Même si aujourd'hui les pièces sont probablement recollées et beaucoup plus solides, la base reste instable, hantée par le passé, par cette grande mascarade qui nous a dépouillés l'instant d'un moment.

Elle sourit faiblement.

— Je te raconte une belle parabole. C'est à n'y rien comprendre.

— Non. J'ai le fond, il ne manque que la forme.

Elle rit doucement, amèrement.

— Le fond et la forme.

Il lui sourit, complice.

— Et tu tiens vraiment à connaître la forme ; ça pleure, ça crie, ce n'est pas très vivable.

Il acquiesça. Elle haussa les épaules.

— À tes risques et périls ! Très tôt, dans mon jeune âge, j'ai pris conscience que je vivais hors du monde, hors de toutes ces idées communes qu'avaient les hommes, pour finalement me rendre compte qu'un peu comme tous ces gens, je marchais parmi cette souffrance, ces fous et ces malades... Chaque matin, lorsque je prenais l'autobus, je voyais mon frère endurer un trajet d'humiliation. On lui a tout balancé: crayons, déchets, crachats, sous-vêtements sales, et j'en passe. Chaque jour, j'étais meurtrie davantage. Si bien qu'un soir, après notre habituel trajet, je me suis barricadée dans ma chambre, la rage au cœur, les larmes perlant sur mes joues, j'ai tout détruit, déchiré. J'ai crié à m'en vider l'âme. Une seule pensée vibrait en moi: ils vont me le tuer! Rien d'autre à ce moment ne pouvait traverser mon esprit. Ils allaient me tuer mon petit frère, le gruger de l'extérieur, puis de l'intérieur. Tous ces cancers allaient achever celui que toute une famille s'évertuait à aimer, à aider comme elle le pouvait. Famille unie: si l'un manquait à l'appel, c'était la tragédie; famille soudée, même pour traverser l'enfer...

— Un jour, j'ai lu que la mort était plus forte que tout; quelle grossière fausseté! La survie est plus forte que n'importe laquelle des morts. À chaque voyage d'autobus, à chaque journée d'humiliation, de violence, de déchéance, d'affliction gratuite, mon frère n'a jamais baissé la tête, n'a jamais voulu renoncer. Pas une fois il ne m'a supplié de lui poser des ailes, de l'emmener loin, si loin qu'il aurait fallu le laisser aller. L'échec, l'abandon, ce n'était pas pour sa petite tête dure. Aujourd'hui, Greg est un homme. Pas l'un de ces hommes de notre société actuelle, mais plutôt l'un de ceux à qui l'on n'a pas oublié de greffer un cœur. Mais derrière, aux côtés et devant Greg, on était tous là, victimes collatérales, héros à nos heures.

Elle prit une pause.

— Ta mère?

— Je ne pourrai probablement jamais illustrer ou même définir ce qui se trouve dans le cœur de notre mère, mais probablement beaucoup d'amour. Beaucoup d'amour pour se dresser contre l'humanité entière, élever quatre enfants qui ont beaucoup à offrir eux aussi et permettre à l'un d'entre eux, avec qui la vie avait été moins généreuse, d'avoir également sa place. Elle a été là et y est encore. C'était celle qui ramait deux fois plus fort pour que l'on arrête de tourner en rond. C'était celle qui recollait les morceaux brisés.

— Et ton père dans cette histoire de famille ?

— Pour papa, ça a toujours été plus difficile. Comprendre. Il est toujours difficile de comprendre, surtout pour un père... je crois. Avoir un fils qui ne semble avoir aucun attachement pour un monde qui lui est complètement étranger, comprendre un enfant qui est fermé à tout, un enfant qui ne parle pas, un enfant qui n'existe que derrière un masque de Batman, c'est difficile et douloureux, je pense. Bref, je crois que c'est d'autant plus dur pour un père d'entrer dans ce monde. Aujourd'hui, j'ai l'impression qu'ils se sont retrouvés. Je crois qu'il y a dans cette relation père-fils beaucoup de craintes, mais autant de beaux souvenirs. Avec le temps, Greg est devenu un homme et cela leur permettra de se rapprocher et de rattraper le temps perdu. Chacun guérira ses blessures et ils arriveront à combler le vide qui peu à peu s'estompe, car je pense qu'il n'est jamais trop tard. Une belle relation se continue sur des bases maintenant plus solides.

Max changea de position. Il sourit, l'écoutant.

— Et princesse, elle ?

Aude sourit, secouant la tête, se souvenant de son enfance.

— Notre précieuse princesse ! Celle qui a tout vu, celle qui était trop petite pour défendre son grand frère. Trop petite pour comprendre, mais assez grande pour subir et avoir mal. Je pense qu'Ophélie a vu beaucoup plus de choses qu'elle ne veut le dire. Je crois qu'elle n'osait pas tout colporter ; elle savait très bien que l'on aurait retrouvé notre mère derrière les barreaux. Une chose est certaine, c'est qu'après avoir vu tout ce qu'ils ont fait subir à Greg, jamais au grand jamais elle ne se laissera marcher sur les pieds. Dans toute cette expérience, elle a su tirer une leçon de vie. Je suis certaine qu'au fond d'elle elle s'est promis de ne jamais vivre l'enfer par lequel Greg est passé et que jamais, de son vivant, elle ne tolérera de voir de semblables événements. Jamais elle ne va humilier gratuitement qui que ce soit. Et surtout, elle s'est probablement promis, un peu comme moi, de remettre à leur place ceux qui prennent leur pied à détruire les autres.

À cet instant, Max saisit tout cet aplomb qui émanait de la jeune femme.

— Je pense qu'à la moindre occasion elle va remettre en pleine gueule, à qui de droit, tout ce qu'ils ont semé. Je sais que lorsqu'Ophélie va mettre au monde les plus beaux enfants qui soient, elle n'oubliera pas de leur greffer un cœur.

— Et Jamy, lui ?

Aude roula des yeux, souriant enfin malgré le flot de souvenirs.

— Ti-Cul, notre bébé. Que dire de notre petit dernier... Seulement, et ce sera déjà beaucoup, qu'il est probablement le plus compréhensif des petits garçons ; être le petit frère de Greg, c'était comme être pris dans un rôle de grand frère malgré lui. Déjà tout petit, il voulait partager avec lui un monde bien à eux, mais son frère avait le sien qui lui suffisait amplement. Comment aller chercher du réconfort et de l'appui chez votre grand frère quand celui-ci peut à peine se regarder dans un miroir ? Mais aujourd'hui, le monde a recommencé à tourner et on partage tous le même univers.

— Et Aude dans tout ça, celle que tu as laissée derrière ?

Elle baissa les yeux.

— Elle n'est jamais bien loin, prête à bondir, à surgir dans la solitude. Je ne sais pas si j'arriverai à poser les mots sur ce que j'ai ressenti et ressens encore aujourd'hui. Comment arriver à t'illustrer le lien que Greg et moi partageons ? Avec le temps, les événements ont fait de nous des complices. J'étais une confidente. J'étais et je suis encore celle qui comprend. Celle qui comprend ses douleurs et celle qui essaie, petit à petit, de panser ses blessures. Celle qui essaie de recoller les morceaux. Après notre arrivée dans la Grosse Pomme, j'ai demandé à Greg pourquoi il n'allait toujours pas vers les gens pour tenter de se faire de nouveaux amis. Il m'a répondu : « C'est à cause de tout ce que j'ai vécu... » À ce moment, j'ai su qu'il y avait beaucoup plus de morceaux à recoller que je ne le pensais. Néanmoins, je crois bien que nous sommes sur la bonne voie. J'aimerais pouvoir lui faire croire que les règles des jeux vidéo de sa jeunesse s'appliquent aussi dans notre réalité ; qu'il peut être le héros qu'il rêve de devenir, car il est déjà le héros de toute une famille.

Max voyait le torrent de sentiments envahir la jeune femme qui tentait de se contenir, de se retenir.

— Aude, vide ton sac. Sinon tu vas éclater, ça va ressurgir et te prendre de court. Tu vois bien que ça te ronge de l'intérieur malgré la carapace de béton que tu arbores fièrement devant les autres, devant ta famille.

Elle écrasa une larme, secouant la tête.

— La boîte est trop creuse.

Elle passa la main dans sa tignasse, reprenant ses esprits. Il l'encouragea, attentif, compréhensif.

— Alors, commença-t-elle, il était une fois un petit garçon autiste qui, ayant commencé l'école, dut s'adapter à son nouvel environnement et surtout oublier d'exister. Chaque matin, il se levait, déjeunait, s'habillait et traversait la cour d'école près de chez lui, son sac d'école sur le dos. Il n'y avait pas fait deux pas que son calvaire commençait. Greg, du temps qu'il allait à l'école primaire, ne doit pas en garder beaucoup de souvenirs heureux. Même que je crois qu'il préfère oublier cette partie de sa vie. Traverser tous les matins la cour d'école, avec comme seule arme son courage, entrer dans l'école où tous ces petits monstres l'attendaient. Il n'était probablement pas le premier ou le dernier enfant à vivre ce genre d'injustice, mais je ne céderai jamais sur le fait que personne ne devrait avoir à vivre cela. Personne ne mérite de se lever tous les matins avec la peur au ventre et l'idée que de l'autre côté de votre clôture attendent d'autres enfants, comme vous, mais bien différents dans le fond et qui ne veulent qu'une chose : abattre sur les autres toute la méchanceté du monde. Personne ne mérite de vivre cela.

Les pédophiles, les meurtriers et tous les criminels qui parcourent nos rues ont droit à plus de respect. Mon frère, lui, tous les matins, on lui collait l'étiquette de débile, de mongol, d'épais, de niaiseux, d'autiste. Autiste... Autiste... Je t'en aurais *autisté* un, moi ! Comme si c'était un défaut de fabrication. Voyons donc. Tous les matins à se lever en sachant très bien ce qui l'attendait. Se lever avec le goût amer de la vie en travers de la gorge, de cette affliction qui creuse un peu plus, celle qui dérobe ta dignité, celle qui t'arrache aux belles choses de la vie, celle qui fait mal, celle qui meurtrit toujours un peu plus au fil du temps, au fil des insultes et des douleurs. Peux-tu croire que, lors d'un voyage scolaire, on avait promis à ma mère de suivre Greg vingt-quatre heures sur vingt-quatre et de ne jamais le laisser seul ! Même si son cœur le retenait à la maison, il y est allé... on n'aurait jamais dû faire confiance à la direction ni aux enseignants. Pas qu'ils n'étaient pas de bonnes personnes, mais plutôt que personne ne pouvait comprendre cette crainte. On fait parfois des promesses que l'on ne peut tenir, et c'est probablement ce qui est arrivé. Lors d'une visite sportive dans un grand centre athlétique, les enseignants ont envoyé les enfants aux toilettes – pause pipi – et aucun adulte ne les a accompagnés. Comme tu peux te l'imaginer, quelle belle occasion pour s'en prendre à Greg. Ils l'ont encerclé, lui ont baissé les culottes et chacun leur tour, ils lui ont rentré un doigt dans le rectum.

Je me demande si, en Irak, on inflige une telle torture, une telle humiliation aux prisonniers de guerre. Je me demande si, sur cette terre, il est possible que des êtres humains puissent faire de tels gestes. Je me demande, encore aujourd'hui, à vingt-quatre ans, s'il est réellement possible de passer à autre chose, de se dire que c'est du passé et que c'est loin derrière. Peut-être est-ce bel et bien derrière, mais je ne pense pas qu'un jour Greg va oublier. Je ne crois pas qu'un jour il pourra vivre une relation amoureuse normale et stable, et encore moins avoir une vie sexuelle épanouie. Il aura toujours cette crainte qu'on le ridiculise, que l'on fasse de son corps un objet risible et sans dignité. Je prie pour qu'il tombe sur une bonne personne ; celle qui saura s'avérer patiente, douce, mais surtout compréhensive. Je crains que ce qui un jour a été brisé ne soit bien difficile à recoller. Ils l'ont brisé à l'extérieur et laissé en ruines à l'intérieur. Je me demande encore si le Greg qui a peut-être réussi à se cacher d'eux reviendra un jour à la surface, s'il respirera de nouveau.

Par la suite, notre mère nous a inscrits dans une école privée, croyant que ce serait mieux pour Greg. Le scénario n'a pas été rose. Comme tu peux te l'imaginer, une fois mon frère descendu de l'autobus, le petit manège se poursuivait dans les casiers ; à tel point qu'un jour Greg a pris le plus gros sac de voyage qu'il a pu trouver à la maison et y a mis tout le contenu de son casier. Jamais il n'aurait à y retourner. Tous les jours à trimballer tout ce que tu as, tout ce que tu es dans un sac... comme si tu ne méritais pas une place dans ce monde. Est-ce assez pour te montrer à quel point il n'arrivait nulle part à se sentir en sécurité ? Sauf peut-être dans sa chambre : il pouvait y trouver un peu de paix et de sérénité. Peux-tu t'imaginer deux petites misérables secondes qu'un enfant de douze ans puisse, tous les jours, trimballer ses peurs dans un énorme sac qui n'arrivait même pas à toutes les contenir ? C'était cela, la vie de Greg : se lever le matin, prendre l'autobus où on tapait sur lui, éviter les casiers et avoir quelques minutes de répit lorsque les professeurs réussissaient à avoir le contrôle de leur classe. Connais-tu ne serait-ce qu'une seule personne sur cette terre qui aurait voulu de ce contrat de vie ?

Il avait réussi, malgré tout, à trouver un endroit où il aimait bien passer le temps avec son ami. Son seul ami. Celui qui, encore aujourd'hui je pense, est son seul et véritable ami. Ils aimaient tous les deux jouer au billard. Même que Greg avait demandé à Débora de lui acheter une baguette. Une à lui. Une pour passer le temps. Eh bien, crois-le ou non, le peu de temps qu'il trouvait à oublier, il y en avait toujours un pour venir casser son bonheur. Même qu'une fois, je passais par là car je sortais d'un cours, j'ai vu arriver derrière mon frère de douze ans un gros porc. Oui, c'était bien un gros lard bien juteux à qui on aimerait bien botter le derrière ! J'ai vu ce génie de comique prendre un boule de billard et la frapper contre la tête de Greg. Devant mes yeux. Juste là, devant moi. J'ai littéralement explosé. Dans ma tête, il y a eu un bruit d'engrenage, comme si ma matière grise avait manqué d'air un court instant. Mes sens me sont revenus et, comme une explosion dans mes veines : tic tac et boum ! C'était comme dans un film. En fait, je pense plutôt qu'à cet instant, pour tous les autres dans la pièce, le temps s'est arrêté. J'ai lâché un hurlement. Je pense que jamais je n'avais autant hurlé de colère, de souffrance, de rancune, de tout ce qui peut faire comprendre que j'aurais tué. Et je peux jurer qu'à cet instant même l'un de mes collègues de classe, le plus gros des plus gros joueurs de football de secondaire cinq, n'aurait pas essayé de se mettre sur mon chemin. Je l'aurais tué, je l'aurais brisé. J'ai foncé sur le débile, j'ai ramassé moi aussi une boule de billard et je lui ai agrippé la crinière, lui postant à deux pouces de la face la belle affaire qu'il était sur le point d'avoir en pleine gueule. Si je n'avais pas vu le regard horrifié de Greg, je l'aurais fait. Mais je me suis dit que si je faisais ça, je serais expulsée de l'école et que plus personne ne pourrait essayer de veiller sur Greg. J'ai déposé violemment la boule sur la table, faisant sursauter M. Piggy, et dit à Greg: «Regarde-moi bien aller.»

J'ai ramassé toutes les balles de billard et je suis entrée, sans frapper, dans le bureau du directeur, défonçant quasiment sa porte. J'ai déposé (déposé, ici, est peut-être un euphémisme... j'ai plutôt lancé) la boîte de boules sur son bureau et lui ai dit: «Je suis en train de faire ta job!» Et je suis partie en claquant la porte. Je suis retournée voir mon frère et je l'ai traîné jusqu'au bureau du prêtre Bérubé, la seule personne qui a vraiment su aider Greg dans cette école. Encore aujourd'hui, j'ai des pensées pour cet homme décédé d'un cancer l'an passé. Il a dû voir trop d'horreurs en ce monde...

— Et... lui demanda Max, doucement.

— C'est là que ma mère a décidé que c'en était assez. Mes parents ont fait les démarches pour que l'on puisse avoir notre citoyenneté américaine. Cela a pris quelques mois, et pendant ce temps, ma mère faisait l'école à Greg à la maison. Et me voilà aujourd'hui, en train de te raconter tout ça.

Max se redressa et l'observa. Il lui laissa le temps de reprendre ses esprits, elle était dans un de ces états. Elle se passa la main dans les cheveux, écrasant une larme sur sa joue, puis leva les yeux vers lui. Il lui sourit.

— Voilà, tu voulais savoir, tu sais maintenant.

Il haussa doucement les épaules.

— Ça ne fait pas de toi un monstre.

Elle sourit un peu.

— Peut-être bien...

— Mais je comprends d'où te vient ce caractère explosif.

Elle se pinça les lèvres et sourit. Elle s'adossa, puis posa les yeux sur lui.

— Finalement, mon histoire est assez banale.

Elle haussa les épaules à son tour.

— C'est pas comme si c'était nécessaire d'avoir le cœur qui traîne dans la merde.

Il rit, secouant la tête.

— Oh, toi. Toujours les bons mots.

Elle sourit, repensant à la nuit où elle s'était fait attaquer : on ne l'avait pas ménagée, et une fois sortie de ce pétrin, elle en avait profité pour répliquer, il lui fallait toujours avoir le dernier mot.

— À quoi tu penses ? lui demanda-t-il.

Il avait bien vu ce sourire se dessiner sur son visage. Elle soupira.

— Comment as-tu deviné que je m'étais fait attaquer ?

Surpris de la question, il croisa les bras, plissant les yeux.

— J'observe, c'est tout.

Elle baissa les yeux sur ses poignets, toujours blessés, puis elle rit doucement, presque pour elle-même.

— Pourquoi tu ris ?

Elle leva les yeux, croisant son regard.

— Tu vas me trouver folle.

— Sans vouloir te décevoir, c'est déjà fait.

Elle éclata de rire, puis elle se décida.

— Eh bien, ce fameux soir où je me suis fait agresser dans une ruelle par deux imbéciles, j'ai fini par avoir le dessus et pouvoir me sauver, et disons que, avant de prendre la fuite, il a bien fallu que j'en rajoute, question de montrer à ces deux cons, en fait à l'un des deux car j'avais mis K.-O. le second à coup de pierre...

— En rajouter... ?

— Disons que je suis retournée vers lui pour reprendre mon sac, mon portefeuille et tout le reste, et je lui ai fait savoir que s'il venait à passer dans ma rue, il le regretterait...

Elle regardait le sol. Max rit face à tant de caractère.

— Tu étais sur l'adrénaline, c'est tout.

Elle secoua la tête.

— Non, je ne crois pas. C'est dans ma nature de confronter les gens.

Max sourit. Il était bien d'accord.

— Finalement, maintenant que tu en parles.

Il tiqua, repensant à leur première rencontre.

— Disons qu'à l'audition je me suis demandé dans quelles montagnes russes on s'embarquait.

Elle lui sourit. Max regarda sa montre.

— Bon, je crois que je vais y aller, on a du travail demain.

Elle acquiesça. Il alla prendre son manteau et elle le raccompagna.

— Merci.

Il braqua ses yeux dans les siens.

— Merci pour quoi ? Pour avoir passé un bon moment en ta compagnie ?

Elle pencha la tête de côté.

— Ça et...

— J'ai une grande gueule, mais de grandes oreilles aussi. Les gens ont tendance à l'oublier.

Il rit et elle lui rendit son sourire, un brin fatiguée. Il leva une main vers elle, repoussant une mèche rebelle qui lui frôlait la joue. Elle inspira profondément.

— Bonne nuit, mademoiselle.

— Bonne nuit. Le soleil revient toujours trop vite.

— Tu ne crois pas si bien dire. Bon, j'y vais. Tu as besoin de dormir, ça se voit.

— Merci ! J'ai l'air si débraillée que ça ?

— J'ai pas dit ça. C'est juste que tu as les yeux petits.

Elle lui tapa doucement le bras.

— Je sais, je te charrie.

Il lui fit la moue. Elle laissa retomber lentement son bras sous le regard intéressé de Max. Elle plissa les yeux, le regardant, s'amusant.

— Quoi? lui demanda-t-elle, connaissant à demi la réponse.

Il secoua la tête et détourna le regard. Elle arqua le sourcil, amusée. Il retint un grondement.

— Comme si j'avais besoin de dire quoi que ce soit!

Elle sourit, tandis qu'il posait les yeux sur elle. Elle s'accota dans le cadre de porte, les bras croisés sur sa poitrine.

— Dis-le. C'est pas sorcier. Ça n'a jamais tué personne.

Il roula des yeux.

— Si tu penses que je vais te faire ce plaisir...

— Je pensais plutôt à un autre genre de plaisir.

Il s'étrangla presque en riant jaune à cette révélation; il n'avait pas l'habitude d'être timide, mais face à elle, il perdait ses moyens. Elle lui fit signe d'entrer s'il le désirait. Il arqua le sourcil, encore surpris. Voyant qu'il ne bougeait pas d'un poil, la belle brune décida de prendre les choses en main. Elle l'agrippa par le collet de son manteau, l'attira vers elle. Il se retint au cadre de porte pour ne pas tomber tant Aude l'avait surpris. C'est alors qu'il sentit ses lèvres contre celles d'Aude, mielleuses, soyeuses. Il se détendit un peu, puis passa son bras autour de la taille de la jeune femme, la serrant contre lui, l'accotant contre la porte du loft. Lentement, elle passa ses bras autour du cou de Max qui l'embrassait. Elle ferma les yeux, se laissant aller. C'est alors que sans qu'elle puisse réagir, il la tira vers lui, refermant la porte discrètement, puis revint à elle. Il plongea ses yeux dans les siens, puis lui arracha un second baiser, la saisissant par la taille, la plaquant contre lui. Elle se laissa faire. Il la souleva alors et elle passa ses jambes contre son bassin. Tout en l'embrassant, il l'amena, un peu maladroitement, ne connaissant pas les lieux, à la chambre. Il la laissa descendre et elle glissa contre lui, déposant pied à terre. Elle lui arracha un autre baiser. Doucement, il passa les mains dans sa veste, la faisant descendre le long de son corps pour finalement se retrouver sur le sol. Il passa la main dans le cou de la jeune femme, la tirant tendrement vers lui, puis passant le bras autour de sa taille, il la fit basculer sur le lit, ses belles boucles s'éparpillant sur les draps. Il se pencha sur elle, l'embrassa. Elle cambra une jambe contre lui et il la lui agrippa, la serrant contre lui. Aude se redressa un peu, le repoussant, glissant ses mains sous son chandail et son manteau. Il se leva et les retira, puis revint vers elle. Elle se recula un peu et une fois étendu, elle monta sur lui, se cambrant. Il passa la main sous le tissu et caressa la peau de ses hanches. Il la prit alors par la taille, la faisant basculer sur le dos, se retrouvant sur elle.

— On va faire ça à ma manière, lui dit-il, lui faisant un clin d'œil qu'elle perçut à peine dans la noirceur de la pièce.

Elle acquiesça presque pour elle-même, se laissant guider par les caresses et les baisers de Max sur sa peau. Doucement, lentement, tendrement mais avec toute la virilité du monde, avec une certaine hâte bestiale, il lui retira son jeans, les bottes partant à la dérive. En petite tenue, Aude se cambrait contre lui, presque nu, ayant pour seul apparat son caleçon ajusté qui, lui aussi, partit rapidement à la dérive, comme les dessous de la belle brune, les pulsions se faisant de plus en plus sentir !

Les lumières de la ville perçant la pièce, ils roulèrent dans les draps, faisant l'amour, se caressant dans la nuit. Une fois qu'elle s'endormit contre lui, la tête sur son torse, il la serra un peu plus, sentant son souffle paisible. Il soupira doucement, puis finit par s'endormir lui aussi, s'abandonnant à la fatigue, caressant le dos de la belle brune.

Chapitre 14

Saveurs d'automne

La délicate lumière perça la chambre, réveillant la jeune femme toujours étendue près de Max. Il avait l'air si paisible. Elle se frotta doucement le front, se réveillant. Elle se défit de lui, sortit des draps et constata le champ de bataille dans la chambre. On aurait dit qu'une pluie de vêtements avait inondé le plancher de la pièce. Aude sourit, réprimant un rire pour ne pas réveiller son invité. Elle ramassa ses petites culottes et son soutien-gorge qu'elle enfila. Rien de plus. Un dernier coup d'œil à Max, puis elle se dirigea vers la cuisine. En petite tenue, elle ouvrit le frigo et vit la fameuse assiette de pancakes. Elle sourit, remerciant sa mère, sortit le plat et se fit réchauffer une portion. Elle prit une bouchée, savourant le goût sucré de l'érable. Elle roula des yeux, les fermant, laissant descendre la première bouchée. Elle allait piquer dans un second morceau lorsqu'on passa le bras autour de sa taille, ce qui la fit sursauter. Max la serra contre lui et l'embrassa dans le cou. Elle rit et se détendit.

— Bon matin, lui dit-il à l'oreille.

— Bon matin.

Il relâcha son étreinte, la laissant prendre une autre bouchée, puis prit place sur le tabouret en face de la jeune femme, qui poussa le plat vers lui et lui tendit la fourchette. Il la saisit et attaqua un morceau qu'il croqua. Elle sourit. Il la regarda, elle fit de même.

— Tu es bien silencieuse.

— C'est le matin, on relaxe.

Il acquiesça, prit une autre bouchée, puis lui rendit l'ustensile. Il se leva, passa près d'elle, lui effleurant la hanche. Elle le suivit du regard, remarquant son postérieur tout en muscles moulé dans son caleçon.

— Tu te sauves ? lui demanda-t-elle.

— Il fait froid ! C'est l'automne.

Elle lui sourit et il se rendit dans la chambre. Il revient l'instant d'après habillé, tandis qu'Aude, elle, était toujours en petite tenue, accotée à l'îlot, et terminait son verre de lait. Elle se retourna, s'adossant, le voyant prendre son manteau qu'il avait laissé tomber la veille au soir. Il l'enfila. Elle arqua le sourcil et il remarqua bien son petit air. Il s'approcha doucement, s'arrêtant près d'elle.

— C'est quoi, cet air ?

Elle se raidit, reculant un peu.

— Il faut que j'y aille, il est déjà 11 h et les gars doivent nous rejoindre vers 13 h. Je vais prendre une douche et chercher mon agenda.

Elle acquiesça, résignée. Il lui caressa le bras, puis se dirigea vers la porte, se retournant vers elle, l'ouvrant.

— J'ai passé un bon moment.

— Moi aussi.

Il la salua et partit. Une fois la porte fermée, elle croisa les bras sur sa poitrine, se renfrognant. Rien que ça ? Un bon moment ? Wow ! Elle roula des yeux, puis se décida à aller se préparer.

Elle enfila de nouveaux vêtements, et une fois derrière le miroir, elle décida de ne pas aplatir ses belles boucles qui avaient refait surface. Elle aimait bien ses cheveux, pourquoi les changer ? Toutefois, elle posa les yeux sur son petit coffre à bijoux, puis s'observa. Elle décida de changer son bijou de lèvre. Elle choisit un petit diamant rosé qu'elle agença avec son maquillage. Elle retourna dans sa chambre, prit boucles d'oreilles et bagues, et enfila ses bottes. Elle était prête. Elle alla revêtir son manteau, prit son sac, puis sortit. Elle marchait en route vers le bar lorsqu'elle entendit son nom. Elle se retourna et vit Ben derrière elle. À cet instant, l'idée que Ben, lui, serait probablement resté avec elle ce matin lui traversa l'esprit.

— Salut, Ben.

Il la rattrapa, lui offrant son bras.

— Mademoiselle, m'accordez-vous le plaisir de vous accompagner jusqu'au bar ?

Elle rit et passa son bras sous celui de Ben, qui lui sourit gentiment, satisfait.

— Tu sais que ton attitude ne va pas de pair avec ton look.

Il tiqua, approuvant.

— Cependant, comme l'habit ne fait pas le moine...

Elle se garda bien de raconter sa nuit avec Max, connaissant l'intérêt que lui portait Ben. Pas question de semer la tempête au sein du groupe. Ils arrivaient quand ils virent Max sortir de sa voiture. Aude lâcha le bras de Ben, feignant de remonter son sac sur son épaule. Max tiqua lorsqu'il les vit arriver ensemble, mais il ne dit rien, observant Aude qui soutint son regard.

— Salut, Max, dit Ben.

Ils se serrèrent la main, puis tout le monde entra, Matt et Justin les rejoignant quelques minutes plus tard. Une fois les manteaux retirés, ils montèrent sur scène, allumèrent les instruments et branchèrent les micros et les pédales de son. Aude regardait Max discuter avec un homme des éclairages. Lorsqu'il leva les yeux vers elle, la jeune femme détourna le regard, faisant mine de porter attention à ce que lui disait Justin. Max vint les rejoindre, leur expliquant la mise en scène et les éclairages. Puis, ils firent quelques essais. Le temps passa et ils s'arrêtèrent pour commander de quoi manger. Pendant que les gars discutaient des destinations de la tournée, Aude se retira un moment, alla en arrière-scène, agrippa sa guitare sèche au passage et s'assit au bout de la scène, les pieds dans le vide. Doucement, elle gratta quelques cordes, se perdant dans ses pensées, repensant à la nuit précédente. On vint s'asseoir près d'elle. Elle se retourna, c'était Max. Elle ne dit rien. Il secoua la tête, soupirant.

— Tu sais que tu as un de ces caractères.

Elle acquiesça en signe d'approbation et il rit. Elle arrêta de jouer, mais ne le regarda pas. Il lui agrippa le bras, la tirant contre lui. Il se glissa dans son cou et y déposa un baiser.

— Tu fais quelque chose ce soir ? lui demanda-t-il tout bas.

Elle sentit le rouge lui monter aux joues. Elle se retourna et lui fit les yeux doux.

— Je ne sais pas. Pourquoi ?

Il pencha la tête, haussant les épaules.

— Tu veux venir passer la soirée chez moi ?

Elle sourit, victorieuse.

— Ce serait envisageable.

Il inspira.

— C'est ça, fais-moi payer.

— J'y compte bien.

Il rit, se leva et lui tendit la main.

— Allez, viens. Le souper est arrivé. Plus on finit tôt, plus...

Elle lui tendit la guitare et prit sa main. Il l'aida à se lever.

— Rêve pas. Les gars font tellement de conneries plutôt que de se concentrer sur le *show* que ce n'est pas pour ce soir que la mise en scène va être terminée.

Il dut l'admettre.

— Allez, viens.

Ils rejoignirent les autres sous le regard insistant de Ben, qui observait Aude ; elle, pour sa part, tentait de fuir son regard. Ils mangèrent un morceau, puis se remirent au travail. Aude retourna derrière sa guitare et Justin en fit autant derrière son micro. Max, assis dans le fond de la salle, les laissa enchaîner plusieurs morceaux. Il finit par se lever, arrêtant du même coup Matt qui entamait le solo de batterie d'une de leurs pièces musicales populaires.

— Quoi ? lui demanda-t-il.

Max s'approcha. Il leur sourit.

— Je viens de parler au photographe. Il m'a envoyé les clichés. Ils sont super. Christopher est en train de vous monter chacun votre portfolio pour cet album-ci. Vous voulez les voir ?

Ils hochèrent la tête et se hâtèrent de rejoindre Max qui s'était assis à l'une des tables devant son portable. Ils se plantèrent tous derrière lui. Max fit défiler les photos. C'était de très beaux clichés. Vinrent celles du groupe, et ils rirent tous en se remémorant cette journée. Finalement, Max s'arrêta sur un cliché d'Aude. Tous se turent. La photo était superbe, et la jeune femme aussi. Aude rougit lorsque Ben et les autres se retournèrent vers elle. Elle baissa les yeux. C'était ça, se sentir femme ? Elle finit par leur sourire.

— Quoi ?

— Tu m'en feras une copie, Max, je vais l'accrocher dans ma chambre.

Ils pouffèrent de rire.

— On ne veut pas savoir..., commença Justin.

— Ce que tu ferais avec cette photo ! termina Matt.

Ben haussa les épaules.

— À défaut de pouvoir avoir l'originale !

Ils rirent, puis Max se retourna, voyant Christopher venir vers eux. Il leur tendit chacun leur portfolio.

— Oh, Aude. J'ai joint Greg. Il va faire la pochette et les affiches.

Elle sourit à Max.

— C'est gentil.

— Ce n'est pas gentil, il est bon.

Il lui rendit son sourire. C'est à cet instant que Ben remarqua ces petits sourires complices. Mais il ne dit rien, un pincement au cœur. Max se leva, faisant reculer Aude. Il s'excusa.

— Il est tard. On reprendra demain. Mais je vous le dis, les gars : demain, c'est du sérieux. Il faut terminer la mise en scène si l'on veut être bientôt prêts pour la tournée et que vous puissiez pratiquer sans que l'on vous arrête constamment.

Ils hochèrent la tête, se dirigeant vers la scène.

— Laissez. On va laisser le matériel là. Le bar est fermé ce soir et on va reprendre demain de toute façon.

Heureux, ils approuvèrent, allant chercher leur manteau. Ben ramena celui d'Aude et le lui tendit ainsi que son sac. Elle le remercia et l'enfila. Justin et Matt les saluèrent et partirent prendre une bière. Ben refusa de les suivre. Il salua Aude, Max et Christopher. Il partit, jetant un dernier coup d'œil à la jeune femme qui le remarqua bien, lui envoyant la main, souriant. Il lui sourit, puis partit, même s'il savait qu'il ne devait s'attendre à rien d'autre que des sourires de la part de la jeune femme. Il s'engouffra dans l'automne.

— Oh, dit Christopher, j'allais oublier.

Il lui tendit une seconde pochette de photos. Elle l'ouvrit. C'était les clichés avec Ophélie. Elle le remercia avec un sourire, toute contente. Les photos étaient très réussies.

— Bon, il regarda Max, moi, je vais y aller. Je te laisse fermer ?

Max acquiesça et Christopher quitta le bar, leur envoyant la main. Max enfila son manteau, observant Aude qui se dirigeait vers la scène.

— Qu'est-ce que tu fais ? On peut laisser ça ici, on revient demain.

Il la vit monter pour aller chercher sa guitare, la mettre dans l'étui et la passer sur son épaule. Il s'approcha rapidement de la scène. Il lui tendit les bras, la prenant par la taille pour l'aider à descendre.

— Je ne la laisse jamais nulle part.

Il secoua la tête.

— Tête dure.

— Tu as vu juste.

Elle lui fit un clin d'œil.

— Bon, allez, viens.

Il lui prit la main, l'entraînant avec lui vers la porte. Ils sortirent dans le froid, Max verrouillant derrière lui. Aude frissonna.

— Donne-la-moi.

Elle lui tendit la guitare, qu'il passa sur son épaule. Il lui signe d'avancer. Elle serrait contre elle les portfolios. Il sourit, le remarquant.

— On fait un détour ?

Elle le regarda.

— Un détour ? Par où ?

— Tu veux aller porter les photos à princesse ?

Elle fut étonnée par la proposition.

— C'est certain !

— Dans ce cas, on va prendre ma voiture.

Ils tournèrent dans le stationnement derrière l'immeuble et prirent place dans le véhicule. Max monta le chauffage, elle grelottait de froid.

— Tu faisais comment pour survivre au froid du Québec ? lui demanda-t-il, taquin.

— Je n'y suis plus non plus !

Ils rirent, puis Max s'engagea sur la route. Une fois qu'ils furent arrivés, il se stationna. Elle sortit du véhicule. Elle vit qu'il ne sortait pas. Elle fit le tour de la voiture et cogna doucement à sa fenêtre, qu'il baissa.

— Quoi ?

— Qu'est-ce que tu fous ?

— J'attends, pourquoi ?

— Monte.

— Tu veux que je monte avec toi ?

— Princesse sera contente de te voir.

Il ferma le contact et sortit. Ils montèrent, puis Aude frappa à la porte. Jamy ouvrit puis sourit, heureux de voir sa sœur.

— Max ! Salut.

— Salut, Jamy.

— Maman, papa, Aude est là.

Max regarda Aude qui se mit à rire. Débora arriva, surprise de voir le jeune homme, suivie de son mari qui salua Max. Il lui serra la main.

— Entrez, les invita Débora. Ne restez pas sur le seuil.

Lorsqu'ils furent entrés, Aude tendit le portfolio à sa mère. Jamy s'approcha. Débora tourna la première page.

— Oh, mais que vous êtes belles !

— Elles me ressemblent, dit Georges.

— C'est ça, c'est ça, tu les as mises au monde un coup parti ! ajouta Débora.

Ils se mirent à rire et Ophélie arriva enfin.

— Salut.

Max lui sourit.

— On t'a apporté un petit quelque chose.

Débora lui tendit les clichés. Elle les regarda.

— Oh ! On était chics !

Aude rit.

— Bon, on va y aller. Je venais constater que tu étais bel et bien ressuscitée, dit Aude à sa mère, qui grimaça, et porter les photos à princesse.

— Et nous présenter ton ami, lui fit remarquer Georges.

— En fait, intervint Max, il ne manquait plus que vous, j'ai déjà fait le tour des enfants.

Débora considéra Aude, qui regarda le sol.

— Oh oui ?

— Disons que Greg aussi a fait connaissance avec Max.

Débora plissa les yeux, regardant sa fille.

— Qu'est-ce que tu t'es encore fait faire ?

Aude se mordit la lèvre.

— Débora, laisse-la respirer un peu, intervint Georges.

— Veux-tu bien me laisser jouer mon rôle de mère ? lui lança-t-elle en riant. Allez, jeune fille.

Ophélie s'approcha de sa sœur sous l'œil attentif du reste de la famille. Jamy riait. Elle fit le tour de sa sœur, puis découvrit le pot aux roses.

— Je l'ai !

Elle leva les cheveux de sa sœur.

— Ah ! Tu es démasquée !

Elles ricanèrent. Puis, Aude finit par montrer son nouveau tatouage à sa mère et à son père.

— Cesse de mutiler ton corps ainsi ! dit Débora.

Aude roula des yeux.

— Qu'est-ce que ça m'énerve quand elle roule des yeux ainsi !

Max rit.

— Vous n'êtes pas la seule.

— Ça ne plaît pas à tout le monde, ce genre de...

— Tatouage.

— Et de *piercing* ! Ce n'est pas tant les tatouages qui me dérangent, ce sont plutôt tous ces trous dans son visage.

— Ça dépend pour qui.

Débora plissa des yeux, considérant le jeune homme, puis revint à sa fille qui regardait les photos avec sa cadette.

— Effectivement, ça dépend pour qui, dit-elle.

Max sourit, mal à l'aise.

— Bon, on va y aller, nous, on travaille demain et je suis crevée.

Elle embrassa son frère et sa sœur, puis sa mère, tandis que Georges tendait pour une seconde fois la main à Max qui la serra.

— Bonne soirée, les jeunes. Aude, tiens-nous au courant.

Elle acquiesça.

Ils sortirent et se rendirent à la voiture.

Max démarra et alluma le chauffage, car Aude se frottait les mains pour se réchauffer. Il posa les yeux sur elle.

— Tu ne leur as pas montré ton portfolio, lui fit-il remarquer.

— Des plans pour que mon père fasse une crise de cœur !

Ils rirent, et il acquiesça. Elle plissa des yeux, l'observant. Il le remarqua.

— Quoi ?

— Il n'y a sûrement pas juste Ben qui aurait voulu en avoir une copie.

Il sourit.

— Tu as raison, sauf qu'à la différence de Ben, moi j'en ai une !

La mâchoire d'Aude se décrocha.

— Pardon ?

Il lui sourit de toutes ses dents, gardant les yeux rivés sur la route. Il haussa les épaules.

— Privilèges de gérant.

Elle croisa les bras sur sa poitrine.

— C'est de l'abus de pouvoir.

— Exactement.

Elle secoua la tête, résignée, faussement choquée. Intérieurement, elle en était flattée. Puis, ils arrivèrent quelques rues plus loin. Il gara le véhicule dans le stationnement souterrain, puis descendit. Il se dépêcha d'aller ouvrir la portière de la jeune femme avant qu'elle ait le temps de poser la main sur la poignée. Surprise, elle arqua le sourcil. Amusé, il lui tendit la main. Elle la prit et il l'aida à descendre de l'utilitaire sport. Ils gagnèrent l'ascenseur. Il se retourna vers elle.

— C'est quoi, ton modèle de voiture ? lui demanda-t-il, ayant bien remarqué le regard intéressé qu'elle avait posé sur les véhicules de luxe stationnés.

Elle lui sourit mesquinement.

— Allez, dis ! De toute manière, elle doit sentir le neuf, tu ne sembles pas rouler beaucoup.

Elle plissa le nez, lui donnant un coup de coude. Elle le regarda un instant, puis lui dit :

— Camaro blanche 2012.

Les yeux de Max devinrent ronds, telles des capsules de bière.

— Vraiment ?

Elle acquiesça fièrement.

— C'est pour ça que tu ne la sors pas. À voir comment vous conduisez, vous, les femmes ! Beaucoup trop de risques qu'elle passe dans la catégorie perte totale, ajouta-t-il, soulignant ses paroles de guillemets imaginaires.

Elle le foudroya du regard et tapa du pied, ravalant ses mots. Amusé, il se planta alors devant elle, la forçant à reculer contre le mur, se pressant contre elle, lui arrachant un baiser, évaporant toute rancœur. Elle se plia au jeu et laissa tomber son sac, passant ses bras autour de son cou. Il la serra contre lui et l'embrassa. Le petit tic de l'ascenseur se fit entendre, les portes s'ouvrirent. Max se redressa, délaissant Aude, qui remarqua une vieille femme qui entrait. Aude lui sourit, mal à l'aise, et sortit à la suite de Max.

— Bonsoir, monsieur Howard, le salua-t-elle.

— Bonsoir, madame Bells.

La vieille femme lui sourit, amusée.

— Oh ! mademoiselle, vous oubliez votre sac à main.

Aude retourna le chercher, gênée. La femme lui sourit, puis une fois Aude sortie, les portes se refermèrent. Max lui tendit la main, elle la prit et il l'entraîna vers son condo. Il déverrouilla et la laissa entrer. Il alluma une faible lumière, dévoilant à peine le luxe de la pièce. Derrière elle, il glissa ses mains et fit sauter le manteau d'Aude, qu'il déposa sur le sofa. Il fit de même avec le sien. Il s'approcha d'elle, silencieuse, observant le décor.

— Ça te plaît ?

Elle acquiesça. Il sourit.

— Sors de ta bulle, Aude.

Elle posa les yeux sur lui et il acquiesça, satisfait. Il lui prit la main, la tirant vers lui. Elle se laissa faire. Il prit place dans le sofa et elle s'assit près de lui. Il passa un bras autour de ses épaules, la serrant contre lui, et déposa un baiser sur sa tempe. Elle sourit doucement, soupirant de soulagement. Ils restèrent ainsi un moment, observant la vue nocturne de la ville. Max saisit une manette et alluma la radio, une faible musique se faisant entendre. La jeune femme se cala contre lui et il se sentit bien. Elle finit par se redresser, lui faisant face.

— Quoi ? lui demanda-t-il.

— J'ai un peu mal à la tête.

Il hocha la tête.

— Attends, je vais te chercher quelque chose.

Il alla chercher des comprimés et une bouteille d'eau qu'il lui tendit. Elle le remercia et prit les cachets, déposant la bouteille sur la table basse.

— Pas surprenant avec cette voiture qui t'a renversée et le train de vie que l'on mène.

Elle haussa les épaules. Il lui tendit la main. Elle l'interrogea du regard.

— Viens, on va aller s'étendre un peu, ça va te faire du bien.

Elle ne se fit pas prier. Il la conduisit à sa chambre, fit le tour du lit et enleva son pardessus, venant la rejoindre. Elle s'étendit sur le ventre, le bras sous l'oreiller où elle avait logé son visage. Il passa un bras autour de sa taille, la tirant un peu vers lui. Il se fraya un chemin jusqu'à son cou, y déposant un doux baiser. Elle sentait son souffle sur sa nuque.

— Merci, dit-elle.

— Tu n'as pas besoin de dire merci. Dors un peu, ça va te faire du bien.

Il resta là, près d'elle, à la veiller, à l'écouter respirer. Elle s'était endormie presque sur le coup. Il se redressa, agrippa une couverture et la borda, et se recoucha à ses côtés. Il regarda l'heure, puis se dit que ça ne lui ferait pas de mal de dormir un peu lui aussi. Il cligna des yeux et s'endormit doucement, accompagnant la jeune femme dans ses songes.

Aude se réveilla brusquement avec l'impression qu'on lui broyait les côtes, ses poumons pris dans une cage, en plus de l'affreuse impression que la tête allait lui fendre. Elle se la saisit à deux mains, tentant de poser pied à terre. Elle tremblait comme une feuille. Elle essaya de faire un pas, puis s'effondra, un haut-le-cœur l'envahissant. Le bruit réveilla Max en sursaut. Il tapota le lit.

— Aude ? T'es où ?

Il l'entendit alors gémir. Il ouvrit en vitesse la lumière de sa table de chevet pour se rendre compte qu'elle n'était plus dans le lit. Il se redressa, fit le tour du lit et la vit, recroquevillée sur elle-même, serrant les poings, rongée par la douleur. Il se pencha sur elle, la redressant contre lui.

— Aude ! Dis-moi...

Il vit bien qu'elle ne pouvait lui dire quoi que ce soit. Il vit sa poitrine se soulever difficilement, cherchant son air. Ne sachant que faire, il déposa doucement sa tête et composa les urgences, puis une fois l'aide contactée, il revint vers elle. La jeune femme s'était retournée sur le ventre et se faisait violence pour ne pas s'évanouir, l'air se faisant rare. Elle hurla de douleur. Max la retourna vers lui, mais elle se débattit. Elle avait si mal, elle ne voulait pas qu'on la touche. Prise de spasmes, tout son corps se raidissait. Elle sentait son cœur cogner, comme s'il allait lui déchirer la poitrine. Elle tapa contre le sol, prise de douleur. Max resta près d'elle, et on finit par cogner à la porte. Il alla ouvrir en vitesse et conduisit les ambulanciers dans la chambre. Il resta à l'écart pour les laisser travailler. L'un des deux hommes se pencha sur Aude, posa une main dans son dos ; elle cria de douleur.

— Elle ne voulait pas que je la touche, ça avait l'air de la faire souffrir, dit Max, inquiet.

L'homme acquiesça.

— Lui est-il arrivé un accident dernièrement ? lui demanda l'ambulancier qui sortait un masque de son sac.

Max hocha nerveusement la tête.

— Elle a été renversée par une voiture il y a quelques jours, mais elle n'a jamais voulu aller voir un médecin.

— Traumatisme et hémorragie.

Son collègue acquiesça, toujours agenouillé près de la jeune femme qui se tordait sur le sol.

— Elle avait mal à la tête quand on s'est couché, précisa Max.

— Mademoiselle, je vais devoir vous retourner, vous faites une hémorragie interne.

À deux, ils la prirent, faisant fi de ses gémissements, et la retournèrent doucement sur le dos, puis l'installèrent sur la civière et l'amenèrent aux urgences. Max les accompagna, le sac de la jeune femme sous le bras. Lorsqu'ils arrivèrent enfin, on l'amena au bloc opératoire, laissant Max derrière les portes. Les ambulanciers expliquèrent le cas au médecin et on examina la jeune femme. Il prit son pouls, écouta son cœur et confirma le diagnostic. C'est alors que Max les vit emmener la jeune femme, puis les perdit de vue.

Les heures passèrent, puis on vint voir Max, assis dans la salle d'attente, la tête entre les mains. Il leva les yeux vers le médecin.

— Comment va-t-elle ?

— On l'a stabilisée et on a arrêté l'hémorragie. Quelques jours de repos et elle devrait être sur pied.

— Comment se fait-il que ça ait prit tant de temps avant de se manifester ?

Le médecin haussa les épaules. Max lui sourit et le médecin lui tapota gentiment l'épaule.

— Vous pouvez aller la voir. Chambre 12.

Max le remercia, puis saisit le sac d'Aude et se dirigea dans le couloir. Il marcha un peu et aperçut la porte 12. Il la poussa doucement. La jeune femme dormait, des sondes plein les bras. Il s'approcha. Il la regarda un moment, puis prit sa main, la serrant doucement. Il lui caressa doucement les cheveux, soupirant de soulagement.

— Ce n'est pas pour aujourd'hui qu'on va terminer la mise en scène.

Il roula des yeux, se reculant un peu. Elle lui sourit.

— Je vais bien, lui dit-elle.

— Mieux, pas bien.

C'était à son tour de rouler des yeux.

— De toute manière, pas question que je passe une nuit de plus ici.

Elle se redressa. Il la retint.

— Je vais t'attacher de force s'il le faut, mais tu ne vas pas bouger d'ici avant l'approbation du médecin ; je ne pense pas qu'il va signer ton congé aujourd'hui.

Elle arqua le sourcil.

— Je pense que tu me connais très mal. Ça va me prendre des pantoufles de béton pour me garder collée à ce lit d'hôpital.

Il soupira, agacé. Quelqu'un toussa dans le cadre de porte. Les deux se retournèrent, apercevant une infirmière à l'air sévère. Elle s'approcha d'eux.

— Il est hors de question que vous sortiez d'ici avant que vous soyez complètement rétablie, mademoiselle, dit-elle à Aude, qui se renfrogna. Votre état est stable, mais nécessite du repos et un suivi.

Max vit bien que la jeune femme bouillait de l'intérieur. Il eut alors une idée.

— Dites-moi, si elle était transférée à domicile avec une infirmière jusqu'à son rétablissement complet, ce serait acceptable ?

La femme hésita.

— Effectivement, cela serait envisageable.

Aude regarda Max. Il posa les yeux sur elle.

— Je reviens.

Il sortit, puis revint quelques minutes après, le temps de passer un coup de fil. L'infirmière et Aude le regardèrent, intéressées. Il leur sourit.

— Et ? demanda la jeune femme.

— Tu vas être contente.

Les deux femmes se regardèrent. Je te ferai transférer chez moi et tu auras une infirmière à domicile.

— D'accord... en espérant que mes revenus couvrent cette dépense.

Il roula des yeux.

— Et de un, oui, tes revenus du groupe sont suffisants pour couvrir ces frais ; on voit que tu ne regardes pas souvent ton compte en banque. Tu as déjà reçu trois versements. Et de deux, c'est moi qui vais absorber les frais.

— Il n'en est pas question.

— C'est soit ça, soit tu restes ici pour un séjour indéterminé.

Elle bouillait de l'intérieur.

— Marché conclu.

L'infirmière rit, amusée.

— Je vais faire signer votre congé, mais votre infirmière devra faire un rapport complet et vous devrez revenir voir le médecin dans une semaine pour qu'il vous réexamine, question de voir si tout est rentré dans l'ordre.

Aude acquiesça, résignée. L'infirmière sortit de la chambre. La jeune femme regarda Max.

— Pas question que je sorte d'ici en fauteuil roulant.

Il soutint son regard, mais elle gagna malgré tout.

On vint les voir avec une ordonnance à se procurer et quelques recommandations, ainsi qu'un rendez-vous pour la semaine suivante.

Aude attendait Max dans le hall d'entrée lorsqu'elle le vit arriver au volant de son utilitaire sport. Il avait été hors de question que la jeune femme mette les pieds dans un taxi, alors Max avait appelé Christopher pour qu'il vienne le reconduire chez lui, puis Max était revenu chercher Aude. Il s'arrêta, mit les clignotants et vint la rejoindre.

— Tu viens ? lui demanda-t-il, lui présentant son bras.

Il se souvint alors que la veille, elle n'avait pas de manteau. Il retira alors le sien et le déposa sur les épaules de la jeune femme, prenant par la suite le sac qu'elle tenait faiblement. Il lui retendit son bras et elle y glissa le sien, se collant contre lui. Il sourit, déposant un baiser sur sa tempe. Elle ferma les yeux, puis ils sortirent dans le mordant de novembre. Il lui ouvrit la portière et l'aida à monter. Ensuite, il fit le tour, prenant place du côté conducteur. Ils sortirent enfin du stationnement.

— Tu n'es pas obligée de jouer les dures, Aude, lui fit-il remarquer, gardant les yeux sur la route.

Elle soupira, agacée, mais se garda de faire un commentaire. Il secoua la tête.

— Et les gars ? demanda-t-elle, changeant de sujet.

— J'ai appelé Christopher, il est venu me chercher et je lui ai tout expliqué. Il va se charger de terminer la mise en scène avec eux. Oh ! J'ai aussi téléphoné à ta mère et lui ai dit que tu passerais quelques jours chez moi, que tu avais attrapé un virus.

— Elle a gobé ça ? demanda Aude, incrédule.

— Disons qu'elle pensait plutôt que je lui racontais des salades, prétextant un virus pour passer un séjour juste nous deux, si tu vois ce que je veux dire. Je me suis dit que tu préférais probablement qu'elle pense ça plutôt que d'apprendre la vérité, vu les derniers événements.

— Comme si...

Elle s'interrompit, prise d'une crampe à l'abdomen, qui passa.

— Oublie ça.

Ils finirent par arriver. Max gara la voiture, puis descendit, venant ouvrir à la jeune femme. Elle descendit du véhicule, mais il s'approcha, passant les bras sous ses jambes, la soulevant doucement. Elle le considéra.

— Je ne veux rien entendre, lui dit-il. C'est ça ou le fauteuil roulant.

Elle soupira, résignée. Elle se contenta de serrer son sac contre elle et de poser la tête sur l'épaule de Max. Il la porta jusqu'à son appartement.

— Peux-tu presser le bouton ?

Elle s'exécuta, toujours dans ses bras ; finalement, elle commençait à y prendre goût. On vint ouvrir.

— Salut, Shandy.

— Salut, frérot.

Son infirmière serait donc la sœur de Max ! Il avait donc une sœur ? Elle se recula, les laissant entrer, refermant la porte derrière eux. Max se dirigea vers la chambre. Aude lui tendit son manteau qu'il déposa sur la chaise dans le coin de la pièce. La femme vint les rejoindre.

— Tu dois être notre grande malade.

Aude sourit, gênée.

— Ne t'inquiète pas, on va prendre soin de toi et tu seras sur pied rapidement.

— Pas trop vite, hein, avertit Max.

Shandy soutint son regard, puis revint à la jeune femme qui les observait sans dire mot.

— Ça prendra le temps que ça prendra, voilà tout, dit-elle de son ton convaincant d'infirmière. Bon, laisse-nous, je vais l'aider à aller prendre un bon bain, à se changer et à s'installer confortablement.

Max acquiesça, mais avant de s'éclipser, vint vers Aude, se pencha vers elle, passa la main derrière sa tête et déposa un baiser sur son front.

— Je reviens. J'ai quelques trucs à régler pour passer la semaine avec toi.

Elle hocha la tête et il s'en alla, fermant la porte derrière lui et laissant les deux femmes seules. Shandy s'approcha d'elle, tout sourire. Aude le remarqua bien.

— Enchantée, lui dit la jeune femme.

— Moi de même.

Shandy aida Aude à descendre du lit et la conduisit dans la salle de bain où elle lui fit couler un bon bain chaud pendant que la jeune femme retirait son pantalon. Elle se retourna vers sa patiente.

— Penses-tu avoir besoin d'aide pour embarquer, question de te laisser un peu d'intimité ?

Aude hocha la tête.

— Bien. Je vais laisser la porte ouverte. Si tu as besoin de quoi que ce soit, tu n'as qu'à m'appeler. Je te laisse une serviette.

Elle la déposa près du bain, puis sortit, Aude la suivant des yeux. Seule, elle fit quelques pas et une fois nue, elle entra dans l'eau chaude, se laissant couler agréablement. Elle ferma les yeux, se passant les mains dans la figure. Elle laissa aller sa tête contre le bord. Elle se sentait bien, le corps léger.

Plus tard, on frappa à la porte et elle tourna la tête, apercevant Max dans le cadre. Elle lui fit signe d'entrer. Il s'approcha, remarquant le corps nu de la jeune femme. Il se pencha vers elle, croisant son regard. Ils se regardèrent un moment dans le silence, complices. Il passa la main dans ses belles boucles roses.

— Ça va ? lui demanda-t-il.

Elle hocha doucement la tête. Il lui sourit, soupirant de soulagement.

— Tu m'as fait peur.

Elle baissa les yeux. Il se pencha vers elle, déposant un baiser sur sa tête, restant là, contre elle.

— Ça fait un moment que tu es dans l'eau. Il serait peut-être temps de sortir.

Elle acquiesça. Il se leva, lui tendit les mains. Elle les prit et il l'aida à se lever. Il l'attira vers lui, la sortant de l'eau. Il se retourna, prit la serviette et la passa autour de la jeune femme. Elle l'attacha sur sa poitrine, couvrant sa nudité. Il l'entraîna vers la chambre, où Shandy lui sortit d'un sac de voyage un bas de pyjama.

— Habille-toi, jeune femme, par la suite on va te faire des bandages.

Max se retourna alors vers sa sœur.

— Des bandages ? demanda-t-il.

— Oui, des bandages, lui répondit-elle.

Il se tourna alors vers Aude, qui soutint faiblement son regard, puis vers Shandy.

— Laisse-nous, deux minutes.

— Je vais lui chercher de quoi manger, dit Shandy.

— Je n'ai pas faim, intervint Aude.

— Je sais, mais tu vas tout de même manger quelque chose.

Et elle s'en alla, ne lui laissant aucune chance de répliquer. Aude revint alors à Max qui la regardait toujours. Elle pinça les lèvres, mal à l'aise. Il s'approcha doucement, déposant le bas de pyjama qu'il avait ramassé au passage. Elle leva les yeux sur lui, un plus grand qu'elle.

— Quoi ? lui demanda-t-elle tout bas.

Il ne dit mot, lui frottant doucement les bras pour la réchauffer, puis remonta vers le nœud de la serviette. Elle lui saisit la main.

— Non.

— Laisse-moi voir.

Elle soupira puis, résignée, elle s'exécuta, remontant le bas de la serviette de côté jusqu'à ses côtes, dévoilant sa jambe et sa taille. Il remarqua alors la cicatrice. Fine, rosée, parsemée de points de suture. Du bout des doigts, il l'effleura, puis prit le tissu des mains de la jeune femme et le laissa retomber pour la couvrir. Il prit son menton, le soulevant, effleurant ses lèvres, puis il la serra contre lui. Il la sentit se détendre. Il accota son menton contre ses cheveux. Il la sentit alors sangloter. Il la repoussa gentiment.

— Qu'est-ce qu'il y a ? lui demanda-t-il.

Elle leva les yeux pleins d'eau vers lui.

— J'ai mal.

Il rit doucement, la serrant contre lui, puis la repoussa un peu. Il ramassa le pyjama et l'aida à enfiler des sous-vêtements propres et le pantalon coloré, ainsi qu'une légère camisole. Il l'aida à monter sur le lit et Shandy arriva. Max lui laissa la place et prit le sac de voyage en vidant le contenu sur la commode.

— Tu es allé chez moi ? lui demanda Aude.

— Je suis allé te chercher des trucs pour passer quelques jours.

Elle le remercia.

— Bon, allez, mademoiselle. Levez-moi cette camisole.

Aude s'exécuta, dévoilant pour une seconde fois la plaie. Shandy s'affaira à mettre un onguent et à la recouvrir d'un pansement. Elle se leva, tendit une barre protéinée à la jeune femme.

— Bon, mange ça, et un peu de repos.

Elle se retourna vers son frère accoté dans le cadre de porte de la chambre.

— Et toi, laisse-la se reposer.

Il sourit. Elle salua la jeune femme étendue sur le lit.

— Je reviens demain avant-midi.

Elle partit, tapotant l'épaule de son frère. Il la suivit et alla verrouiller derrière elle. Il revint voir Aude qui avait retiré son pantalon de pyjama et se glissait sous les couvertures. Il alla fermer les rideaux. Le soleil ne tarderait pas à se coucher, mais il les ferma tout de même. Elle avait laissé la barre sur la table de chevet. Il secoua la tête, mais décida de laisser faire. Avec Aude, il fallait choisir ses combats. Il remarqua, sa cuisse à demi couverte par les draps, la fameuse branche de pommier qu'il n'avait pas vue la première nuit qu'ils avaient passée ensemble. Il s'approcha. Elle remarqua bien son air intéressé. Elle leva la couverture et il regarda de plus près. Il leva les yeux vers elle.

— Très joli.

— Merci.

Il se pencha vers elle, l'embrassa.

— Bon, dors un peu. Je vais faire quelques trucs et quand tu te réveilleras, on mangera.

Elle acquiesça et se laissa tomber sur l'oreiller. Il la borda et elle se retourna, lui faisant dos. Il lui jeta un dernier coup d'œil et sortit. Une fois dans le salon, il prit son portable et fit quelques coups de fil afin de réorganiser les rencontres du groupe pour les prochains jours et de reporter ses rendez-vous. Le soleil se coucha et il alla à la cuisine préparer de quoi manger. Il déposa le tout sur la table et alla voir si Aude dormait toujours. Il se pointa le nez dans la porte et la vit, toujours dos à lui. Elle ne semblait pas avoir bougé. Il fit quelques pas, puis se ravisa, la laissant finalement dormir. Il retourna à la cuisine, mangea, puis alla s'installer dans le salon, son ordinateur portable sur les genoux. Il régla quelques affaires urgentes, puis il l'entendit se lever. Elle alla à la salle de bain, puis il la vit apparaître dans le cadre de porte, en petite culotte et camisole. Quelques idées lui traversèrent l'idée, mais il les chassa. Ses envies passaient après le rétablissement d'Aude. Il se leva et alla la rejoindre.

— Tu as faim ? lui demanda-t-il.

— Pas vraiment, mais je peux bien faire un effort.

Il acquiesça et l'entraîna dans la cuisine. Elle vit alors le souper gastronomique que Max leur avait préparé, puis se retourna vers lui, désolée.

— Quoi ?

Elle lui sourit, mal à l'aise.

— Disons que j'aurais mangé quelque chose de plus léger.

Il soupira, puis alla lui préparer un bol de céréales.

— Et voilà, mademoiselle, vos céréales gastronomiques !

Elle alla s'asseoir dans le salon. Il vint la rejoindre. Elle mangea, regardant le portable sur la table basse. Elle regarda Max.

— Tu réserves des billets d'avion ?

— Disons que j'organise plutôt l'horaire des vols puisque le groupe a son propre avion.

— Tu devrais te trouver un assistant. Il pourrait s'occuper de tout ça.

— Non, j'aime bien faire ça.

— Tu es un gérant impliqué.

Il lui sourit. Elle termina ses céréales, puis elle vint pour se lever, mais il l'arrêta, ramassant le bol.

— Au repos, lui dit-il en pointant la chambre du doigt.

Elle leva le nez dans sa direction.

— Comme si je devais avoir sommeil après une sieste de trois heures !

Il tiqua, approuvant. Elle balaya la pièce du regard et aperçut la bibliothèque pleine de films. Il remarqua son intérêt et revint vers elle.

— Un film ?

Elle hocha la tête. Il alla en prendre un et le lui tendit.

— *The Avengers*. Pourquoi pas, c'est plein de beaux mecs, dit-elle pour le piquer.

Il leva les yeux au ciel. Elle rit. Il alla le prendre, la dévisageant faussement, le mit dans le lecteur et alluma le cinéma maison, fit signe à la jeune femme qu'il revenait. Il entra dans la chambre et revint avec une couverture et un oreiller. Elle lui fit une place et il s'assit près d'elle. Il la tira vers lui, posa l'oreiller sur ses genoux, la jeune femme y posa la tête et s'étendit de tout son long. Il la couvrit. Les deux regardèrent le film ; Aude, les paupières lourdes, profitait des douces caresses de Max passant la main dans ses belles boucles. Il la sentit s'assoupir. Une fois qu'elle fut endormie profondément, il se leva, se dégagea doucement et la laissa sur le sofa. Il arrêta le film et prit son portable, puis alla s'asseoir à la table à manger. Il termina d'organiser sa semaine, envoyant un courriel aux autres membres du groupe pour leur expliquer la situation et leur faire savoir que Christopher le remplacerait quelque temps. Il ferma enfin le portable, se laissant tomber contre le dossier de la chaise. Il croisa les bras sur son torse et posa les yeux sur la jeune femme qui dormait toujours sur le sofa. Il regarda sa montre : 20 h. Aussi bien réveiller Aude à cette heure. Il se leva et s'approcha d'elle. Il se pencha et lui passa la main dans le dos. Elle ouvrit les yeux dans un battement de cils. Elle lui sourit, s'étirant.

— J'ai dormi longtemps ?

— Peut-être deux heures, pas plus. Tu te sens encore fatiguée ?

— Non, pas vraiment.

Il la laissa se rasseoir et alla lui chercher une bouteille d'eau et deux cachets prescrits par le médecin.

— Tiens, c'est pour la douleur.

Elle les prit.

— Merci.

Elle avala le tout, puis déposa la bouteille sur la table.

— Tu veux terminer le film ?

— Plus ou moins.

Il sourit.

— Préfères-tu retourner t'étendre ?

— Non, je n'ai vraiment pas sommeil.

Il rit, comprenant bien pourquoi elle n'avait pas sommeil !

— Je pourrais avoir de quoi écrire ?

Il se leva, puis revint avec un bloc-notes, le lui tendit avec un stylo.

— Tu veux faire quoi ?

Il retourna s'asseoir en face d'elle. Elle se redressa, posa le papier sur la table et se pencha, levant les yeux vers Max qui l'observait.

— Écrire.

Il arqua le sourcil.

— Tu as le goût de composer ?

Elle hocha la tête. Il haussa les épaules, se levant. Il passa devant elle et lui caressa l'épaule.

— Je vais en profiter pour prendre une douche.

Elle le regarda s'éloigner, puis prit le stylo. Elle écrivit quelques paroles et mélodies. Après une trentaine de minutes, Max revint, torse nu, vêtu d'un pantalon sport et les cheveux ébouriffés. Il prit place près d'elle, posant les yeux sur son ébauche.

— Tu travailles fort.

Elle rit doucement.

— Non, je gribouille plus qu'autre chose.

— Laisse-moi voir.

Il prit les feuilles. Pendant ce temps, Aude se leva, toujours en petite culotte et camisole, ouvrit le réfrigérateur et prit une assiette que Max lui avait préparée plus tôt. Elle la fit réchauffer, puis revint s'asseoir avec le repas dans le salon près de Max. Il déposa les compositions sur la table, posant les yeux sur la jeune femme.

— Puis ? lui demanda-t-il.

Elle prit une seconde bouchée.

— Savoureux. Je ne savais pas que tu avais ce talent.

Il lui sourit.

— J'ai bien des talents que tu ignores.

Il lui fit un clin d'œil. Elle rit, s'étranglant presque avec un morceau de viande. Il posa la main sur sa cuisse, se pencha encore une fois sur les feuilles tandis qu'elle terminait son assiette. Elle la déposa sur la table, reprit le stylo et biffa quelques lignes.

— Piano ?

— Ou guitare.

— Les mêmes partitions ?

Il la considéra, ne saisissant pas.

— Je compose au son.

— Au son ?

— Ce n'est pas naturel pour moi, les gammes.

Il haussa les épaules.

— Chacun ses méthodes.

Elle s'adossa au sofa, le regardant se prendre une bière.

— Et toi, ton rapport à la musique ?

Il revient vers elle.

— Bof... disons que je gratte un peu, mais rien de fabuleux. Je ne suis pas devenu gérant grâce à mes talents de musicien.

Il prit une gorgée.

— Alors, c'est plus un prétexte d'affaires ?

Elle sourit. Il tiqua.

— On peut dire ça comme ça. Et toi, la musique ?

— C'est une échappatoire. Enfin, je crois. Ça et écrire.

Il acquiesça.

— Intéressant. Il faudra que je lise ça un jour.

— Bof… comme tu dis, je gratte un peu, mais c'est très ordinaire.

— Ce n'est pas une Camaro 2012.

Elle rit et se pencha encore une fois sur les feuilles. Max l'observa. Il se leva, puis revint vers elle, après être allé dans une autre pièce, avec une guitare sèche. Il la lui tendit. Elle la prit.

— C'était la guitare de mon père.

Elle plissa les yeux, puis hocha doucement la tête.

— Tu grattes, mais ton père gratte aussi ?

Il rit.

— C'est ça. Il grattait beaucoup.

Aude écarquilla les yeux.

— Oh, désolée.

— Aucun souci. Ça fait déjà dix ans qu'il est mort.

Aude baissa les yeux.

— Eh, beauté ! Pas de problème que je te dis. Allez, gratte-moi ces cordes.

La jeune femme s'exécuta, puis s'arrêta. Elle rit.

— Je n'ai jamais vu une guitare aussi mal accordée.

Il sourit, gêné. Elle secoua la tête, puis entreprit de l'accorder à l'oreille. Une fois cela fait, elle fit une seconde tentative.

— Beaucoup mieux.

Il la regarda jouer, essayer sa composition. Après un moment, il prit une dernière gorgée de bière.

— Et les paroles ?

Elle leva les yeux sur lui.

— Quoi ?

— Tu ne chantes pas ?

Elle roula des yeux.

— Mais pourquoi veux-tu à tout prix que je chante ?

— J'aime ça quand tu chantes.

Elle sourit, gênée.

— Tu es sûrement le seul.

— Comme tu veux.

Le portable de Max sonna.

— Excuse-moi.

Il se leva et alla répondre. Aude le suivit du regard.

— Salut, Shandy. Mmm... Oui, quelques heures... Demain, vers 10 h 45, ça devrait aller. OK. À demain. Oh, dis bonjour à Shawn. OK. Bye.

Il raccrocha et revint vers la jeune femme. Il regarda l'heure.

— Ça te dérange si je vais m'étendre ? Je suis crevé. Disons que je n'ai que quelques heures de sommeil à mon actif depuis les derniers jours.

Elle acquiesça. Il s'approcha, se pencha et l'embrassa.

— Pendant ce temps, tiens-toi tranquille, lui suggéra-t-il.

Il l'embrassa encore une fois et s'éloigna, se dirigeant vers la chambre où il laissa une faible lumière au cas où l'envie lui prenait de venir le rejoindre. Elle le vit retirer son pantalon de sport et se glisser en caleçon sous les couvertures. Dommage, pensa-t-elle. Mais bon, son état ne lui permettait aucune folie pour le moment. Elle déposa la guitare sur le sofa, se leva et chercha son sac du regard, et l'aperçut sur le comptoir de la cuisine. Elle se leva et alla fouiller dedans, trouvant son portable. Elle texta princesse.

Bonne soirée, mon ti-poulet BBQ. Je te donne des nouvelles très bientôt. Sista xxx

Elle allait le remettre dans son sac lorsqu'elle le sentit vibrer.

OK ! Bonne soirée toi aussi, hard rock beauty *! J'attends de tes nouvelles. Ton ti-poulet BBQ. xxx*

Aude sourit et, à cet instant, elle eut un pincement. Cela faisait déjà un moment qu'elle n'avait pas vu les siens. Dès qu'elle serait rétablie, un conseil de famille serait de mise. Elle déposa son portable, puis retourna s'asseoir sur le sofa. Elle reprit la guitare et l'observa. C'était un très bel instrument, fait sur mesure. Elle joua quelques accords, effleurant à peine les cordes, question de restreindre le bruit. Max devait déjà dormir. Elle joua doucement, notant, gribouillant. Les minutes s'écoulèrent et elle leva les yeux sur l'horloge accrochée au mur, très design d'ailleurs. Déjà plus de 23 h et elle était censée prendre du repos. Plus vite elle serait sur pied, plus vite elle reprendrait son train de vie. Elle déposa la guitare, puis le stylo et se dirigea vers la chambre. Elle s'arrêta dans le cadre de porte, appuyant la tête contre le cadrage, regardant Max dormir. Il semblait paisible. Elle sourit pour elle-même, se frottant le bras. Elle finit par le rejoindre, se glissant elle aussi sous les draps. Étendu sur le dos, il la sentit s'étendre près de lui. Elle déposa sa tête sur son épaule et, à sa grande surprise, il passa son bras autour de sa taille et la serra contre lui. Elle rit doucement et il sourit, les yeux toujours fermés.

— Bonne nuit.

— Bonne nuit, lui répondit-elle.

Et ils s'endormirent.

Chapitre 15

Interlude

Cela faisait déjà quatre jours qu'Aude était confinée chez Max; Shandy venait vérifier régulièrement son état de santé.

— Tu pourrais probablement téléphoner à ton médecin, question qu'il te voie un peu plus tôt, tu sembles être complètement rétablie.

Aude se retourna vers Max qui foudroyait sa sœur infirmière du regard, ne sachant trop quoi dire. Shandy haussa les épaules.

— Comme tu veux, Max, mais ne viens pas te plaindre si elle fait le mur. Elle va virer folle ici, enfermée avec toi du matin au soir.

Aude rit et Shandy sourit, narguant son cadet.

— Sans blague, je te dis, elle va bien.

Aude lui sourit de toutes ses dents et Max soupira ; finalement, il acquiesça. Aude tapa des mains. Max téléphona à l'hôpital, puis après un moment raccrocha.

— Demain, 9 h 45.

La jeune femme vint l'embrasser. Shandy s'approcha d'eux et tendit des cachets à Aude.

— Tiens, c'est pour la douleur. C'est un peu comme des Tylenol, mais c'est plus fort. Migraine et autres malaises, ça vient à bout de pas mal de trucs.

Aude les prit.

— Merci.

Shandy regarda son frère.

— Bon, je vais y aller. J'ai laissé mon rapport sur la table de la cuisine, remettez-le au médecin demain.

Elle posa les yeux sur Aude.

— Et toi, jeune fille, ne grimpe pas dans les rideaux. Tu es remise, mais ménage-toi.

Aude hocha la tête.

— Ce fut tout de même un plaisir. Et s'il y a quoi que ce soit, vous avez mon numéro.

Elle les salua et quitta l'appartement. Une fois qu'ils furent seuls, Max enlaça Aude, l'embrassant doucement.

— J'ai quelque chose à te proposer.

— Quoi donc ?

— Je sais que tu vas bientôt t'ouvrir les veines si on ne sort pas d'ici, alors que dirais-tu d'aller voir l'exposition de l'époque romantique qui a ouvert aujourd'hui au musée ?

— Bonne idée.

Elle se leva sur la pointe des pieds et lui arracha un baiser.

— On y va ?

Il rit. Elle se changea, enfilant un vêtement plus sobre et plus approprié. Max fit de même. Quelques minutes plus tard, ils étaient déjà en route.

Ils visitèrent toutes les pièces destinées à l'exposition, Aude traînant Max qui commençait à en avoir marre des peintures de l'époque mettant en scène la misère du monde. Néanmoins, il la suivit sans ronchonner et la laissa profiter du moment. Pour terminer en beauté cette première sortie, Max l'emmena manger un morceau. Une fois de retour, la jeune femme prit une douche et alla s'emmitoufler dans les draps. Max la rejoint et elle se cala aussitôt dans ses bras. Ils s'endormirent, paisibles.

Chapitre 16

Tiré à quatre épingles

Cela faisait déjà un moment qu'Aude avait revu le médecin et qu'il lui avait fait comprendre qu'elle était remise de son incident, mais qu'elle devait y aller doucement. Ainsi, le groupe avait repris ses répétitions en vue du lancement de la tournée qui devait s'amorcer en Amérique du Sud.

Aude était étendue sur le ventre, feuilletant quelques pièces musicales, tandis que les autres rangeaient leur instrument. Max, quant à lui, signait des papiers avec Christopher à une table non loin de là. Ben vint s'asseoir en indien devant Aude. La jeune femme leva les yeux vers lui et délaissa ses partitions. Il ne disait mot, l'observant.

— Quoi ? finit-elle par lui demander.

Il lui sourit.

— Rien, je te regarde, c'est tout.

On tapa doucement sur la scène, ce qui sortit Ben de sa contemplation. Aude tourna les yeux. Max les avait rejoints, toujours en bas de la scène, tandis que les deux autres arrivaient également. Ben croisa le regard de Max. Aude remarqua bien leur petit air de gars territorial. Elle leva les yeux au ciel, puis se redressa sur ses genoux, considérant Max.

— Faites-vous une beauté, les poulets, ce soir on a une soirée à ma villa, les prévint leur gérant.

Les membres du groupe, à l'exception d'Aude, sifflèrent de joie. Elle arqua un sourcil, croisant les bras sur sa poitrine.

— Je vois, dit-elle. Une soirée dans le genre : beaucoup de jupes courtes, des poitrines à profusion, de l'alcool et tout ce qui se fait d'illégal au pays.

Ils rirent. Matt la toisa, en riant.

— Pour ton info, il y aura des beaux mecs.

Max toussa. Elle leva les yeux vers lui.

— C'est ça, si tu penses que je vais me gêner !

Ils rirent, puis Ben se leva, tendant les mains vers la jeune femme.

— Allez, debout.

Elle les prit et il l'aida à se remettre sur pied. Elle croisa son regard, souriant, et il lui rendit. Elle le remercia et lâcha ses mains. Puis, Aude posa les yeux sur Max, jaloux à souhait. Ben rit, secouant la tête. En partant, il lança à l'intention de Max ;

— Ne t'inquiète pas, les chances qu'elle me tombe dans les bras sont si minces que je crois qu'elle tomberait sous le charme de Justin avant !

Le chanteur se retourna, offusqué.

— Hé ! s'objecta Justin.

Matt rit à s'époumoner et les trois hommes descendirent de scène, se donnant rendez-vous à la villa vers 22 h. Aude se retourna vers Max, qui attendait toujours qu'elle descende de là. Elle s'assit sur le bord de la scène et il l'aida à le rejoindre. Il leva les yeux vers l'arrière-scène. Il était seul. Il se pencha vers elle, la coinçant contre la scène. Il l'embrassa doucement et la serra contre lui. Il sentait bon et elle serait bien restée là, mais il se libéra.

— Tu viens ? On doit aller se préparer pour la soirée. On va aller manger un morceau, puis on va s'arrêter au Sweet Skin.

Elle haussa les sourcils. Il rit doucement.

— On va aller se faire dorloter avant la soirée.

Il posa la main dans son dos et l'entraîna vers la sortie. Il l'aida à enfiler son manteau. Elle prit son sac à main et ils se retrouvèrent vite dans la voiture de Max. Ils arrêtèrent prendre des tacos et décidèrent de les manger au salon. Lorsqu'ils furent arrivés, on les accueillit et les coiffeuses se mirent à l'ouvrage pendant qu'ils mangeaient un morceau. On rafraîchit la coupe de Max, tandis qu'on aplatit les belles boucles de la jeune femme. On vint la maquiller, lui faisant quelque chose de très osé, quelque chose de fin de soirée chic. On terminait son maquillage quand Max s'approcha d'elle, une boîte à la main. Elle posa les yeux sur lui pendant que la maquilleuse lui mettait une petite touche de parfum, dont elle glissa subtilement la bouteille dans le sac d'Aude. Il lui sourit, lui tendant la boîte. Elle l'interrogea du regard.

— Ouvre, tu vas voir.

Elle posa les yeux sur le présent, puis fit sauter le couvercle. Un bracelet à breloques et un tout petit bijou pour le *piercing* de lèvre s'y trouvaient. Elle leva les yeux vers Max, le sourire aux lèvres.

— Merci !

Il lui rendit son sourire.

— Je dois aller me changer. Je vais t'attendre dans le salon et quand tu seras prête, on partira pour la villa.

Elle acquiesça. Elle se tourna vers la maquilleuse.

— C'est un joli bijou.

Aude acquiesça. La femme l'aida à enfiler le bracelet et la belle brune se pencha vers le miroir pour changer son bijou de lèvre, mettant celui qu'on venait de lui offrir. La jeune femme remercia la coiffeuse et alla se changer. Une fois prête, elle alla rejoindre Max qui lui aussi était d'un charme fou pour leur petite soirée. Ils regagnèrent la voiture et retournèrent changer de véhicule pour la soirée. Max voulait exhiber sa toute nouvelle acquisition.

Chapitre 17

Une fille cassée

Lorsqu'ils arrivèrent, Max gara sa Lexus LFA noire et vint ouvrir la portière à la jeune femme. Elle posa le pied dehors et il lui tendit la main pour l'aider à sortir.

— Laisse ton sac à main dans la voiture, tu n'en auras pas besoin.

Elle s'exécuta, puis se tourna vers la villa. Tout illuminée, elle avait l'air immense. Max passa les bras autour des épaules de la jeune femme et l'entraîna vers la villa. Un homme chargé de la sécurité les salua et leur ouvrit la porte. Une fois qu'ils furent à l'intérieur, la musique, l'ambiance enveloppèrent Aude. Elle vit Matt, Justin et Ben en compagnie d'un petit groupe de personnes. Ben les salua, les ayant vus entrer. Ils les rejoignirent. Le bassiste posa les yeux sur la jeune femme qui était toute en beauté. Elle portait un pantalon ajusté en faux cuir, des bottes lui montant à mi-mollet et un bustier violet avec quelques touches de dentelle noire. Le tout couronné du bracelet à breloques au poignet et de son nouveau bijou à la lèvre que Max lui avait offerts au salon. Elle avait retiré son manteau et le tenait. Ben le lui prit et le déposa sur la majestueuse rampe d'escalier, sous le regard jaloux de Max. Ben revint à Aude qui discutait avec Matt de leur dernière chanson, puis croisa le regard de Max, lui souriant bêtement.

Aude était assise au salon, échangeant avec quelques amis du groupe. Au bout d'un moment, après une ou deux coupes de champagne, elle remarqua l'absence de Max qui l'avait laissée pour aller chercher de quoi boire. Il n'était jamais revenu. Elle arqua un sourcil, les yeux braqués au sol – il ne lui avait pas fallu beaucoup de temps pour qu'il la plante là pour aller discuter affaires. Assis près d'elle,

Ben lui effleura l'épaule, doucement, pour la sortir de sa rêverie. Elle se retourna vers lui, lui souriant.

— Ça va ?

— Sincèrement ?

Il sourit tristement.

— En tout cas, moi, je ne t'aurais pas laissée seule dans une soirée telle que celle-ci. Beaucoup trop de chances qu'on te ravisse.

Elle rit.

— Merci, tu es gentil.

Il s'étira, regardant autour.

— Si je pouvais être autre chose que seulement gentil !

Elle ricana, lui donnant une petite tape. Elle se leva, retroussa ses vêtements et remonta son bustier. Il la regarda et elle le remarqua bien.

— C'est ça, rince-toi l'œil.

— J'y compte bien.

Elle secoua la tête et se dirigea vers le boudoir.

— Où est-ce que tu vas ? lui demanda-t-il, la regardant s'éloigner.

— Trouver Max.

Il soupira et la laissa partir. Elle traversa le corridor, vérifiant dans toutes les pièces qu'elle croisait si Max s'y trouvait. Elle vit beaucoup de gens, un peu plus soûls et parfois même sous l'effet de substances illicites, mais aucun signe de Max. Après le boudoir, elle poussa la porte à battants de la luxueuse cuisine. Là étaient assises plusieurs personnes, la plupart des hommes, autour d'une table, jouant au poker. Elle finit par apercevoir Max. Il était de dos. Elle s'approcha, posa la main sur son avant-bras. Il se retourna sèchement. Surpris, il lui sourit, se pencha vers elle et l'embrassa. Lorsqu'il la laissa respirer, il recula et elle remarqua le petit sachet de poudre blanche qu'il tenait à la main. Elle recula, saisie. Surpris de sa réaction, il se rapprocha.

— Qu'est-ce qu'il y a ? lui demanda-t-il.

Le teint pourpre d'Aude étant remarquable.

— Tu comptes te poudrer le nez ? lui demanda-t-elle, le ton empreint de reproches.

Il ne savait que répondre. Elle croisa les bras sur sa poitrine et se renfrogna, la colère montant en elle. Elle se pencha vers lui et baissa le ton.

— C'est ça, et moi, comme une belle conne, tu penses que tu vas me faire monter dans ta Lexus toute neuve pendant que tu es sur la coke ? Ça va pas bien dans ta tête !

Elle ne lui laissa même pas le temps de répondre. Elle tourna les talons et se dirigea vers le boudoir. Il la suivit, lui agrippant le poignet. Elle se retourna brusquement vers lui.

— Où tu vas comme ça ?

— Je lève les feutres !

Il arqua le sourcil.

— Et tu vas partir comment ? On est venus ensemble.

— Puis après ? J'ai deux jambes, je vais marcher !

Elle se déroba sèchement et sortit, faisant battre les portes de la cuisine. Max la suivit dans le corridor, se débattant avec les portes qu'elle avait fait voler.

— Aude !

Elle marchait vers la porte, ramassant son manteau et l'enfilant. Au même moment Ben sortit du salon et la vit. Il se planta devant elle.

— Tu t'en vas ?

— C'est ça.

Elle ne le regarda même pas. Il vit Max derrière elle. Elle avait la main sur la poignée, mais il se glissa devant elle et lui barra la route. Elle se retint pour ne pas lui mettre son poing en pleine figure, le fusillant des yeux.

— Aude.

Elle regardait le sol.

— Hé, beauté!

Elle leva les yeux vers lui, tapant du pied. Ben se garda d'intervenir.

— Quoi?

— T'as fini ta scène?

Elle écarquilla les yeux ronds comme des balles de golf.

— Pardon?

Il lui sourit.

— Calme-toi, on s'amuse un peu. C'est pas une ligne de coke qui te met dans cet état.

Elle ferma les yeux, respirant profondément, essayant de ne pas exploser.

— Non. Ce n'est pas la ligne de coke, le problème. C'est toi, une voiture et moi dans cette voiture à la suite de cette ligne de coke.

Il lui sourit.

— La soirée est jeune, on n'est pas près de partir. Je m'éclate un moment, et plus tard on partira. Dans le pire des cas, les gars nous ramèneront.

Elle tiqua, agacée. Ben s'approcha.

— Je vais vous reconduire si tu veux.

Elle se tourna vers lui, puis revint à Max. Elle roula des yeux, puis acquiesça finalement.

— Bon, voilà une soirée qui va déchirer, dit Ben, sarcastique, retournant s'asseoir au salon, observant Max et Aude toujours plantés devant la porte.

Max rangea le sachet dans sa poche, frotta les bras de la jeune femme, puis la serra contre lui.

— Viens.

Il lui prit la main et l'entraîna au salon. Elle reprit sa place près de Ben, et Max lui tendit un verre, qu'elle accepta.

La soirée avança et Max réussit, Aude ne sachant pas par quel miracle, à s'éclipser une fois de plus. Ben vit bien qu'elle commençait à cogner des clous et à s'emmerder royalement.

— Va chercher ton homme, je vais vous reconduire s'il n'est pas en état, ou va lui dire que je vais te raccompagner chez toi s'il veut rester.

Elle acquiesça.

— Tu ne veux pas rester ? lui demanda-t-elle.

Il haussa les épaules.

— Bof, disons que j'en ai ma dose.

Elle hocha la tête et lui sourit.

— Merci.

Il lui rendit son sourire. Puis, elle se leva, se redirigea vers la cuisine où elle avait l'intuition de trouver Max, le nez dans une ligne. Elle fit le tour de la villa deux fois, sans succès. Elle revint vers le salon, puis vit Ben, Matt et Justin se tenant près de la porte de la salle de bain. Aude vint les rejoindre, observant leur tête d'enterrement.

— Qu'est-ce qu'il y a ? leur demanda-t-elle.

Personne ne répondit, mal à l'aise. Le bassiste se gratta nerveusement la nuque. Elle soupira, passa devant lui et mit la main sur la poignée de porte. Ben la retint.

— Aude.

Elle se retourna vers lui.

— Quoi ?

Il baissa les yeux.

— Pousse-toi.

Il s'exécuta, à regret. Elle tourna la poignée et entra. À cet instant, elle ne sut si c'était la colère ou la peine qui l'envahit, mais elle faillit s'effondrer. Elle se heurta à Ben, qui la retint. L'adrénaline la faisant réagir, elle se libéra de lui violemment et fit un pas dans la pièce. Max était là, presque nu, avec deux filles, occupés à se procurer du plaisir mutuel. De vraies *groupies*, et lui, le vrai beau macho. Lorsqu'il l'aperçut, il se ressaisit et repoussa les deux filles qui protestaient, trop gelées pour se rendre compte de la situation. Max n'était pas en meilleur état. Essayant de remonter son pantalon, il rattrapa Aude en titubant. Elle était sur le seuil de la porte lorsqu'il lui agrippa le poignet durement. Ben, en colère, voulut intervenir, mais la jeune femme lui fit signe de laisser tomber et elle n'eut d'autre choix que de se retourner vers Max. Ses pupilles étaient dilatées, et nerveux comme un coké, il la retint. Elle le regarda, lasse ; il en faisait pitié.

— Lâche-moi immédiatement, lui dit-elle. Les membres du groupe restèrent silencieux, ne sachant trop que faire. Voyant qu'il ne la lâcherait pas, elle se déroba. Il restait là, à la fixer, désemparé. Elle se retourna vers Ben.

— Tu me ramènes ?

Il acquiesça, désolé et en colère.

— Aude ! Aude ! cria Max. Attends-moi.

Elle s'arrêta, respirant profondément, serrant les poings pour ne pas exploser. Elle se retourna vers lui.

— Tes clés.

Il la considéra, les autres désapprouvant.

— Donne-moi tes clés.

— Toute neuve, elle est toute neuve.

Aude leva les yeux au ciel.

— Je sais, justement. La seule chose que tu vas en faire, c'est de la balancer dans le ravin si tu touches au volant. Donne-moi tes foutues clés.

Résigné, il les lui tendit. Elle se retourna vers Justin.

— Aide-le à enfiler son manteau, je vais chercher la voiture.

— Mais...

— Je ne veux rien entendre.

Ils la regardèrent sortir, sauf Ben qui la suivit avec le manteau d'Aude sous le bras.

— Hé ! Prends ça avant d'attraper un coup de mort.

Elle enfila son manteau et continua vers la Lexus. Elle mit le contact. Ben se pencha.

— Aude, laisse tomber, je vais aller vous reconduire.

Elle leva les yeux vers lui.

— Pas question. Dans l'état où il est, vous allez vous sauter à la gorge.

Ben voulut protester.

— Ben, je suis fatiguée.

Il acquiesça, lui caressant un bref instant la tête.

— Je vais vous suivre. Une fois que vous serez rendus chez lui, je vais rentrer chez moi.

— OK.

Elle sortit de la voiture et revint vers la villa ; les gars aidèrent Max à s'installer dans la voiture.

— Donne-nous des nouvelles demain, lui dit Matt.

Elle acquiesça. Elle les salua. Ben resta.

— Je vous suis. S'il y a quoi que ce soit, appelle-moi, ajouta Ben.

Elle hocha la tête.

— Merci.

— Fais attention à toi.

Elle lui sourit amèrement, puis gagna le siège conducteur. Ben ferma la portière, à contrecœur, lui envoya la main, et elle le vit prendre sa voiture pour les suivre. Elle s'engagea vers la route. Max gesticulait et ne cessait de parler, toujours sous l'effet de la drogue. Aude ne disait mot.

— Je vais lui faire la peau à ce petit bassiste ! S'il pense qu'il peut passer ses sales pattes sur toi.

Aude arqua alors le sourcil. Les yeux toujours rivés sur la route, elle serrait le volant.

— Ferme-la donc.

Max finit par se taire, se rongeant les ongles. Ils arrivèrent chez lui. Aude gara la voiture et alla aider Max à sortir de la Lexus. Ils prirent l'ascenseur et la jeune femme ouvrit la porte du condo. Elle laissa Max entrer, puis le suivit. Il se jeta sur le sofa. Elle laissa tomber son sac près de l'îlot de la cuisine et alla chercher une bouteille d'eau. Elle posa la main sur la poignée du réfrigérateur, mais elle n'avait pas entendu Max arriver près d'elle ; il la plaqua contre l'électroménager. Il tenta de l'embrasser, mais elle l'évita.

— Max, laisse-moi. Je n'ai pas envie.

Il la plaqua encore plus fort. Étourdie sur le coup, elle se ressaisit.

— Max !

Il resserra son étreinte.

— Je t'ai dit non !

Elle se débattit farouchement, mais il était tel un paquet de nerfs sous l'effet de la drogue. Elle n'arriva pas à se dégager de lui. Il la souleva durement contre la porte, la caressant, l'embrassant contre son gré. Prise de panique, elle lui agrippa les avant-bras, puis lui tapa violemment le torse, sans aucun résultat. En colère, il la gifla violemment pour qu'elle arrête de se débattre. Elle le poussa durement, mais il se reprit et la plaqua contre le vaisselier vers lequel elle avait tenté de fuir. Il l'immobilisa. Elle tenta une encore une fois de le repousser, mais d'une seconde gifle, il lui cogna la tête contre le meuble. La tenant immobile, il lui bloqua les jambes de son genou et lui attrapa les poignets pour éviter qu'elle le frappe de plus belle. Le cœur d'Aude cognait dans sa cage thoracique. La tête lui tournait. Elle commença à sangloter, devenant molle dans ses bras. Elle sentit son corps se dérober sous la panique. Il plaça un bras derrière son dos pour la soutenir. Aude sentait ses membres l'abandonner, comme si l'adrénaline la quittait, s'arrachant à elle. Il la tenait toujours entre ses bras, inerte. Il la déposa sur le sol.

— Aude ?

Elle se garda de répondre. Toujours confuse, elle essaya plutôt de profiter de ce moment de calme pour se retourner sur le ventre et ramper. Il faisait noir dans le condo et elle n'y voyait rien. Il la sentit bouger et elle l'entendit rire.

— Aude, où vas-tu comme ça ? Je ne vais pas te croquer. Tu te rappelles comment on a du plaisir tous les deux ?

Il l'empoigna par sa ganse de pantalon et la tira vers lui. Elle se retourna brusquement, lui balançant un coup de pied pour le faire reculer.

— Laisse-moi tranquille. Va prendre une douche, on se reparle après.

Elle l'entendit rire de nouveau. Il jouait avec elle. Elle ne savait pas combien de lignes il s'était enfilées, mais elle avait déjà hâte que les effets se dissipent et que le vrai Max refasse surface... si elle était toujours en vie d'ici là. Elle allait se relever quand, plus rapide, il lui saisit le poignet et la tira vers lui. Elle se cogna contre son torse. Comme il était un peu plus grand, il avait l'avantage. Elle se débattit et finit par lui échapper encore. Elle se dirigea rapidement vers l'îlot de la cuisine pour saisir le téléphone, mais il l'agrippa durement et la souleva.

— Mais quelle bonne idée, ma beauté, on n'avait pas encore essayé le comptoir !

Elle grogna de colère. Il la saisit par la taille, la souleva du sol et l'assit sur l'îlot. Il entreprit, malgré les protestations et les coups que la jeune femme lui balançait, de lui retirer son pantalon. Elle grouillait comme un ver. Il perdit patience et relâcha son étreinte. Elle en profita pour se retourner à quatre pattes sur le comptoir et voulut débarquer de l'autre côté pour mettre de la distance entre elle et lui, mais Max lui empoigna la cheville au même moment, la tirant vers lui. Elle glissa et se cogna la hanche contre le bord de l'îlot. La jeune femme hurla de douleur, les larmes au bord des yeux. Il la retint pour ne pas qu'elle se retrouve face contre terre. Pliée en deux, elle se tenait la hanche. Elle sentit le sang lui souiller les mains. Elle sacrait de douleur, serrant les dents. Elle avait si mal. Il la tenait toujours lorsqu'il décida de la déposer par terre. Il pensait qu'elle tiendrait debout, mais elle tomba à genoux.

— Mais qu'est-ce que tu fais ? Tu ne t'amuses plus ? lui demanda-t-il, la narguant.

Elle inspira profondément – elle allait lui faire la peau, c'était certain. C'était écrit dans le ciel ! Il lui saisit durement le bras, la forçant à se relever. Elle y parvint de peine et de misère. Il la prit par la taille, lui arrachant un cri de douleur, et la rassit pour une seconde fois sur l'îlot. Il entreprit encore de lui retirer ses vêtements. Aude le laissa se battre avec le bouton de son pantalon et réfléchit. Elle vit derrière lui, dans la pénombre, les tablettes où il rangeait toutes ses bouteilles de vin. Elle agrippa alors le bord du comptoir sur lequel elle était étendue, leva les jambes et balança un de ces coups de pied dans le torse de Max qui recula, trébuchant contre les tablettes. Il se cogna durement la tête, les bouteilles lui tombant dessus et se fracassant au sol. Il perdit connaissance ; une fois le vin répandu sur le sol, il n'y eut plus un bruit à part les respirations saccadées de la jeune femme qui tremblait comme une feuille sur l'îlot. Elle se retourna sur le côté, cherchant son sac sur le sol. Elle l'aperçut. Elle descendit difficilement du comptoir, serrant les dents. Sa hanche saignait beaucoup, ses pantalons en étaient couverts. Elle se pencha pour trouver son portable dans le fouillis de son sac et le trouva enfin. Assise de côté par terre, elle composa le numéro de Ben. Cela prit plusieurs tonalités, mais elle ne raccrocha pas.

— Aude ?

Elle ne répondit pas, reprenant son souffle, essayant de calmer la douleur.

— Aude ?

— Viens-t'en tout de suite chez Max.

— Ça va, Aude ?

— Viens-t'en tout de suite chez Max.

— OK, j'arrive.

Elle laissa tomber le téléphone sur le sol et s'allongea de tout son long sur le plancher froid. Elle inspira profondément, puis se redressa sur ses coudes. Elle regarda en direction des tiroirs de la cuisine. La jeune femme se traîna jusqu'à eux, les ouvrant tous, vidant le contenu. Cela prit un bon moment avant qu'elle entende la porte s'ouvrir.

— Aude ?

On ouvrit la lumière, Ben apparaissant dans le condo. C'est alors qu'il vit Max, inconscient, par terre contre le mur.

— Aude, l'interpella-t-il, inquiet, redoutant le pire.

Elle referma violemment un tiroir.

— Veux-tu me dire où est cette satanée trousse de premiers soins ? dit-elle en colère.

Il fit rapidement le tour de l'îlot pour l'apercevoir, sur le sol, cherchant dans les tiroirs, du sang partout. Il écarquilla les yeux, se précipitant vers elle.

— Ça va ?

Il la prit dans ses bras et la serra contre lui.

— Aïe !

Il relâcha son étreinte.

— Désolé.

Il jeta un œil vers Max.

— Ne t'inquiète pas, la seule chose qu'il aura demain, c'est un mal de tête et une bonne claque sur la gueule de ma part.

Il rit doucement. Le bassiste passa la main dans les mèches blondes de la jeune femme pour les repousser, glissant sa main contre sa joue.

— Tu es gelée.

Il se releva, la prit dans ses bras et la déposa délicatement sur le comptoir, constatant les dégâts.

— Mais qu'est-ce qu'il t'a fait ? dit-il voyant l'état de la jeune femme.

Elle vit la colère sur le visage du bassiste qui posa une main sur l'épaule d'Aude, la forçant à s'étendre doucement sur le dos. Il se retourna vers le lavabo, ouvrit une armoire et en sortit la fameuse trousse. Il la déposa près de la jeune femme qui avait l'avant-bras sur les yeux, respirant profondément, essayant de chasser la douleur. Lentement, il baissa la bande du pantalon et remonta le bustier d'Aude sur ses côtes. Il secoua la tête, désolé et bouillant de colère. Il entreprit de nettoyer la plaie, qui était plus longue que profonde, et lui fit un pansement temporaire. Elle le regarda et il croisa son regard, terminant de faire tenir le tout.

— Désolée de t'avoir appelé, je n'avais personne. Si j'avais appelé ma mère, elle l'aurait éventré.

— Tu me niaises ? J'espère bien que tu m'as appelé.

Elle resta silencieuse le temps qu'il regarde les lieux, et il revint à elle et à sa plaie.

— Si tu dis le mot hôpital, je te cogne.

Il lui sourit et passa un bras derrière elle, l'aidant à s'asseoir, les jambes dans le vide.

— Je vais voir comment il va, dit-il, lui posant la main sur l'épaule pour la rassurer, puis il s'avança vers leur gérant.

Elle le suivit des yeux. Ben se pencha vers Max, le prit sur son épaule et alla le déposer sur le lit. Il revint ensuite chercher un verre d'eau et des cachets contre la migraine qu'il laissa sur la table de chevet. Il revint vers Aude. Il posa la main sur sa cuisse.

— Je n'aurais pas dû te laisser venir seule ici.

— Je suis une grande fille. C'est moi qui ai insisté.

Il hocha la tête. Ben passa les bras autour des épaules d'Aude et la serra contre lui. Il avait seulement envie de se coller contre elle et de l'emmener loin, de la sortir de ce cauchemar.

— Tu veux bien me déposer à l'hôtel ? lui demanda-t-elle.

— À l'hôtel ?

Il se recula. Elle leva les yeux vers lui.

— Pas question d'aller chez moi. Dès qu'il va ouvrir les yeux, il va se pointer chez moi. Et je veux la paix pour quelques heures. J'ai besoin de prendre mes distances.

Il passa les bras sous ses jambes et l'aida à descendre.

— Chez moi, j'ai une chambre d'ami.

Elle arqua un sourcil, un sourire au coin des lèvres, sceptique.

— Tu sais que je te vois venir cent pieds devant.

Il secoua la tête.

— Franchement ! Tu as vu dans quel état tu es ?

Elle se renfrogna, le repoussant légèrement.

— Eh bien, merci !

Il rit, lui prit le menton pour qu'elle le regarde dans les yeux.

— S'il se passe quelque chose, ça viendra de toi. Même si j'en doute...

Elle inspira, puis accepta. Il hocha la tête. Il se pencha, ramassa le portable, le mit dans le sac à main d'Aude, qu'il tendit à la jeune femme.

Il l'aida à sortir de l'immeuble. Elle ne voulait rien savoir de se faire porter, alors il l'aida à monter dans sa voiture et il s'engagea sur la route. Épuisée, elle s'endormit durant le trajet. Il stationna le véhicule. Il lui effleura l'avant-bras. Elle ouvrit les yeux dans un battement de cils. Elle lui sourit, puis posa les yeux sur la demeure. Il remarqua bien l'air surpris de la jeune femme.

— Quand tu m'as dit que le look ne reflétait pas la personnalité, c'était encore pire que ce que tu pouvais imaginer.

Elle ricana. Ils entrèrent et il lui fit visiter brièvement son chez-lui, question qu'elle s'y retrouve et qu'elle fasse comme chez elle. Une fois devant l'escalier, il jeta un coup d'œil à la jeune femme qui marchait difficilement.

— Tu sais quoi ? Je vais te laisser ma chambre et je vais dormir dans la chambre d'ami qui est au deuxième, pas question que tu montes les marches.

Elle hocha la tête. Il l'entraîna dans le corridor et lui ouvrit la porte de la chambre. Il l'invita à entrer.

— Désolé, mais comme je vis seul... le lit n'est pas fait.

Elle rit.

— Si tu savais combien, en ce moment, ça me passe cent pieds au-dessus de la tête que tu n'aies pas fait ton lit.

Il acquiesça, soulagé. Il alla ouvrir la lumière de la salle bain connexe à la chambre et revint vers son invitée.

— Va te doucher, je vais tenter de trouver des vêtements pour ce soir.

Elle se dirigea vers la pièce, laissant la porte ouverte derrière elle. Elle se regarda dans le miroir : elle aurait fait la guerre et aurait été plus présentable. Ses cheveux étaient en pagaille, la dentelle de son bustier avait été abîmée quand elle s'était débattue et son pantalon de cuir était taché de sang. Elle secoua la tête, découragée, baissant les yeux, pour éviter son reflet. Pourrait-elle, un jour, rependre le cours d'une vie normale ? Juste pour deux semaines... ce serait des vacances bien méritées ! Elle entendit Ben qui frappa doucement au cadre de porte pour l'avertir de son arrivée. Il remarqua bien son air déconfit. Il s'approcha doucement.

— Ne t'inquiète pas, tu es toujours aussi belle, tu es juste abîmée. On va te réparer.

Elle sourit amèrement, levant les yeux vers lui. Il lui rendit son sourire. Il ouvrit une armoire et en sortit une serviette qu'il déposa près de la douche.

— Si tu as besoin de quoi que ce soit, fouille.

Il ouvrit la pharmacie et en sortit des cachets qu'il laissa sur le comptoir.

— Tiens, je pense que ça ne sera pas de trop. Douche-toi, je vais laisser ton sac et des vêtements sur le lit. Je vais aller m'étendre un peu.

Elle acquiesça, le gratifiant d'un sourire. Il fit un pas vers elle, puis se ravisa, tournant les talons. Elle le retint.

— Ben.

Il se retourna.

— Merci.

Il sortit, la laissant seule. Elle soupira, elle avait le don de se mettre dans des situations pas possibles. Elle retira ses vêtements, qu'elle empila sur le sol en prenant soin de ne rien tacher, fit couler l'eau et entra dans la douche. Elle laissa l'eau effacer les traces de la dernière nuit. Elle ferma les yeux, appuyant le front contre le carrelage de la douche. Elle finit par sortir et prit la serviette. Elle la noua sur sa poitrine et tordit ses cheveux tout bouclés. Aude sortit de la salle de bain et regagna la chambre de Ben. Elle remarqua que la plaie de sa hanche avait déjà cessé de saigner et commençait doucement à cicatriser. C'était une blessure mineure. Elle s'approcha du lit et vit les vêtements que Ben lui avait laissés. Elle fut surprise de constater que c'était des vêtements pour femme : soit Ben avait un côté féminin du genre à se déguiser le soir chez lui, soit ces vêtements appartenaient à une de ses ex. Cela lui fit étrange de penser qu'elle porterait peut-être les vêtements d'une des anciennes copines du bassiste. Elle haussa les épaules. Ça ou se trimballer nue devant Ben. Cela aurait sûrement plu à celui-ci, mais il en était hors de question ! Elle prit le bikini – elle avait tout d'abord cru que c'était des sous-vêtements –, mais cela ferait tout de même l'affaire. Elle enfila le bas, puis attacha le haut sous ses seins et dans son cou. Elle prit le jeans ainsi que le chandail et les déposa sur le bureau. Elle se glissa sous les draps et, après plusieurs minutes à repasser les derniers événements, s'endormit enfin.

Chapitre 18

Mèche courte

Un bruit de sonnette tira la jeune femme du sommeil. Elle grogna, roulant dans les draps, sachant clairement qui se pointait chez Ben. Toujours en bikini, elle sortit du lit et alla voir à la fenêtre. Elle vit la Lexus stationnée devant la maison et aperçut Max qui sonnait à la porte. Elle se garda de se faire voir, restant derrière le rideau. Elle n'avait pas la moindre envie de le voir pour le moment. Elle entendit Ben descendre du deuxième et aller ouvrir. Elle resta là immobile, attentive. Ben ouvrit la porte, barrant tout de même le chemin à Max qui s'en allait entrer sans invitation.

— Max.

L'homme s'arrêta, levant les yeux vers son ami.

— Laisse-moi la voir, Ben. Je...

Ben posa la main sur l'épaule de Max, compatissant.

— Laisse-lui un peu de temps... Hier, tu l'as...

Max leva des yeux désolés vers le bassiste.

— Je sais...

Dans l'autre pièce, Aude, adossée à la fenêtre, posa la main sur sa bouche, retenant un sanglot.

— Rentre chez toi. Laisse-lui quelques jours.

Max acquiesça, résigné.

— Est-ce qu'elle va bien ?

Ben soupira.

— Disons que tu as fait des dégâts.

Max déglutit.

— Tu ne l'as pas ménagée hier soir.

Son ami baissa les yeux, honteux.

— Quand je me suis levé, que j'ai vu l'état de mon condo, je pensais que... En fait, je n'ai qu'une vague idée de ce qui a bien pu se passer.

Ben croisa les bras sur son torse.

— Eh bien, disons que... Disons que tu as fait le con. Elle t'avait dit de ne pas prendre de coke... Si tu savais, quand elle a ouvert la porte de la salle de bain et qu'elle t'a vu là, en fort bonne compagnie, j'ai bien pensé qu'elle allait se briser en mille pièces.

Ben fit une pause.

— Et chez toi, je pense que ça a été la goutte qui a fait déborder le vase. Max...

Il leva les yeux vers son ami.

— Tu l'as violentée... Tu l'as...

Max vit la colère émanant de Ben.

— Bref, disons que ce sera à elle de voir ça avec toi. Rentre chez toi, dis aux gars qu'on prend quelques jours de repos et quand elle sera mieux, on reprendra du service.

— Merci d'être venu la chercher, lui dit Max.

— Je ne l'ai pas fait pour toi.

Son ami hocha la tête.

— Comment as-tu su qu'elle était ici ? lui demanda Ben, les bras croisés, accoté dans le cadre de porte, s'imposant.

Il était à la fois désolé pour son ami et en colère contre lui. Même si Aude ne lui témoignait pas l'affection qu'il aurait voulue, Ben appréciait la jeune femme et n'acceptait pas qu'on lui ait fait du mal. Bien sûr, Max était son ami, mais ce qu'il avait infligé à Aude n'était aucunement excusable. Max haussa les épaules.

— Je suis allé chez elle et elle n'y était pas. Je me suis dit qu'elle serait peut-être chez toi, lui dit-il, avec une pointe de sarcasme, montrant son mécontentement.

— Bon, allez, rentre chez toi et je te redonne des nouvelles.

Max le salua et s'en alla. Lorsqu'il ouvrit la portière de la Lexus, il aperçut la jeune femme dans la fenêtre, elle le regardait. Il la considéra un instant, puis, levant la main vers elle, la salua. Elle ne broncha pas et, résigné, il monta dans son véhicule. Aude resta là, sans bouger, fixant le vide. Elle entendit Ben s'approcher. Il frappa à la porte et entra, la poussant doucement. Il la vit là, près de la fenêtre. Il fit un pas vers elle. Derrière elle, il lui frotta doucement les bras. Il l'entendit respirer profondément. Elle se laissa aller contre lui, la tête contre son torse. Elle ferma les yeux, puis une larme descendit le long de sa joue. Il passa les bras autour des épaules de la jeune femme, la serrant contre lui.

— Je suis désolée, finit-elle par dire.

Il accota le menton sur la tête d'Aude.

— Désolée pour quoi ? lui demanda-t-il.

— De t'infliger ça.

Il sourit en secret.

— C'est une douce torture.

— Sérieusement, c'est vraiment dégueulasse de ma part... je sais très bien que tu as des sentiments pour moi et que cette histoire te met dans tous tes états. Et moi, je ne sais plus où j'en suis... Et toi, tu es là pour moi, et moi comme une belle conne, je t'appelle pour que tu viennes me chercher. Tu me recueilles chez toi et...

Elle réprima un grognement de colère. Il sourit, amusé.

— Comme si j'avais le droit de te faire ça.

Il soupira doucement, la serrant un peu plus contre lui.

— Dans la vie, c'est jamais tout blanc ou tout noir. Et si je suis allé te chercher et que je t'ai ramenée ici, c'est que j'en avais envie, même si je savais très bien que tu n'éprouves aucun sentiment pour moi. Je serais le pire des cons d'espérer quoi que ce soit après la nuit que tu viens de passer.

Il la sentit se détendre.

— Ton amitié me convient amplement même si, tu le sais, je t'aime bien et que si l'occasion s'était présentée j'aurais fait un pas en avant. Toutefois, je ne peux pas te cacher que... et surtout en bikini... tu me donnes franchement des idées.

Elle rit, roulant des yeux.

— Ben !

— Quoi, c'est vrai, regarde-moi cette branche de pommier ! Je te trouve jolie, j'en suis désolé, et ce, pour mon plus grand malheur !

— Parlant de bikini, elle se retourna vers lui, le forçant à relâcher son étreinte. C'est à qui tous ces vêtements ? lui demanda-t-elle, un air amusé pour le taquiner.

Il baissa les yeux pour la regarder.

— Tu veux la vraie version, ou celle que tu veux entendre ?

Elle plissa les yeux.

— Bon, OK ! Tu l'auras voulu. Ce sont des trucs à mon ex-copine. Un matin, elle s'est levée et est juste partie sans revenir le soir. Elle m'avait dit qu'elle allait faire les courses et elle n'est jamais revenue.

Elle sourit.

— Je voudrais juste te faire remarquer que c'est un peu trop grand.

Il baissa les yeux.

— Je constate.

Elle le frappa gentiment.

— Hé ! Désolée d'avoir une petite poitrine !

— Et un plus petit derrière aussi !

— Pas si petit, par contre !

Elle lui fit dos, prenant le jeans.

— Je sais apprécier de belles courbes.

Elle leva le sourcil, lui faisant clairement comprendre qu'elle n'en croyait pas un mot.

— Ah, vous, les filles ! Jamais contentes de ce que vous avez.

— C'est de votre faute. Chaque fois que vous voyez une belle blonde toute découpée et à la poitrine double D remontée, vous vous cassez presque le cou.

Ben faillit s'étouffer de rire.

— Eh bien, je pense que vous vous en faites trop. Vous avez toutes votre charme et vous dégagez toutes quelque chose qui vous est propre.

Aude haussa les sourcils. Il le remarqua.

— Quoi ?

Elle croisa les bras sur sa poitrine.

— C'est assez, le charme, je vais t'appeler Charmant !

— Je devrai t'appeler Blanche-Neige alors.

— Tu aimerais trop ça.

— Tu ne peux t'imaginer à quel point !

Elle plissa le nez. Il lui sourit, fier.

— Bon, laisse-moi, je vais m'habiller.

Il lui sourit et sortit, refermant la porte. Elle enfila le jeans trop grand, puis passa le chandail à manches longues très féminin et un peu trop décolleté à son goût – il l'avait fait exprès, elle en était certaine ! Elle ramassa son sac et alla se refaire une petite beauté. Elle détestait avoir une tête d'enterrement. Elle avait déjà l'air mieux. Elle retourna dans la chambre, prit son téléphone et composa.

— Salut, Ti-Cul. Ça va. Toi ? Hum... Tant mieux, alors. Maman est là ? OK, merci ! Oui, on se voit bientôt, promis. Oui, je vais apporter ma Gibson. OK. Passe-moi maman. *Bye*. Salut, maman. Hum... je sais, je sais. OK. Non, juste pour prendre des nouvelles. Ah ! Je vois. OK. Quand ? Dimanche soir ? Ça devrait être possible. OK, rappelle-moi pour confirmer. Bonne journée, toi aussi.

Elle raccrocha. Elle sortit de la chambre et entendit Ben dans la cuisine lui aussi au téléphone. Elle alla le rejoindre. Il était adossé au frigo et commandait de quoi manger. Lorsqu'il la vit, il lui sourit, terminant de passer la commande. Il finit par raccrocher, remerciant l'interlocutrice.

— Je cuisine très mal, alors j'ai commandé de quoi manger.

Elle ricana. Il se retourna, ouvrit le frigo et en sortit une petite bouteille de jus d'orange. Il la lui tendit et elle s'avança pour la prendre, le remerciant. Il la vit alors remonter le jeans. Il sourit, amusé.

— Attends, je reviens.

Il alla dans la chambre et revint. Il s'approcha d'elle ; elle remarqua alors qu'il avait fière allure dans son chandail moulant et son pantalon noir. Il lui passa une ceinture autour de la taille, ajustant un peu le pantalon que portait Aude. Elle le gratifia d'un sourire.

— C'est mieux comme ça.

— Merci.

Il lui fit un clin d'œil. Il allait s'éloigner, mais au grand étonnement de la jeune femme, il releva doucement le chandail, dévoilant la cicatrice ornée d'ecchymoses, puis hocha la tête, satisfait que ça semble bien guérir. Il laissa retomber le tissu sur la hanche d'Aude et alla s'asseoir sur le tabouret. La jeune femme prit une gorgée de jus et alla s'asseoir elle aussi.

— Ça va mieux ? lui demanda-t-il.

Elle hocha la tête.

— Bien. Tu veux que je te dépose chez toi tout à l'heure ?

Elle regarda devant elle.

— J'en sais trop rien...

Il sourit, lui caressant l'épaule.

— Ne t'inquiète pas, tu peux rester si c'est ça que tu veux.

Elle le regarda.

— Tu as l'air...

— Désespérée...

— Je dirais plutôt désemparée.

Elle sourit faiblement. On sonna à la porte.

Il se leva et se dirigea vers la porte d'entrée. Aude le suivit des yeux, remarquant la musculature de ses larges épaules moulées dans son fameux chandail. Mais qu'est-ce qui lui arrivait ? Ben n'était tout simplement pas son genre ! Il revint, tout sourire.

— J'espère que ça va te plaire.

Il déposa le sac sur le passe-plat où elle était assise et en sortit le contenu. Aude sourit, le regardant.

— Eh oui, madame. Des sushis. Allez, mange.

Il ouvrit les contenants et ils mangèrent, discutant de musique. Aude n'avait vraiment pas envie de parler de sa soirée de la veille. Elle rit à voir Ben tenter de manger les sushis avec des baguettes, puis se résigner à les prendre avec ses doigts, les avalant presque d'une seule bouchée. Il lui fit oublier un court instant ses problèmes.

Après avoir mangé, ils rangèrent la cuisine et Ben se tourna vers la jeune femme.

— Tu veux que l'on s'amuse un peu ? lui demanda-t-il.

Elle plissa des yeux. Il éclata de rire.

— Du calme ! Je parlais de faire de la musique.

Elle sourit et il plissa le nez, lui faisant la moue.

— Comme tu as une mauvaise opinion de moi !

Elle roula des yeux et il ricana.

— Allez, viens, on va aller au salon.

Il passa près d'elle, l'effleurant presque. Aude le suivit. Il lui fit signe de s'asseoir et lui tendit une guitare. Lui, il prit la basse.

— Qu'est-ce qu'on joue ? lui demanda-t-elle.

Il haussa les épaules, puis commença à jouer une pièce qu'elle reconnut. Elle enchaîna et ils s'amusèrent un instant. Le téléphone sonna, Ben se leva. Il s'excusa et sortit du salon, laissant la jeune femme seule. Elle en profita pour gratter quelques notes et, étant seule, elle se laissa aller un peu.

I need you right here, by my side
You're everything I'm not in my life.
We're indestructible, we are untouchable
Nothing can take us down tonight
You are so beautiful, it should be criminal
That you could be mine.

Ben revint, la surprenant chantant tout bas, presque pour elle-même, mais à son grand étonnement, elle ne s'arrêta pas tant qu'elle n'eut pas terminé le premier couplet. Il s'était rassis en face d'elle, et une fois le couplet terminé, elle leva les yeux vers lui. Il l'observait. Elle lui sourit timidement.

— Papa Roach, *No Matter What ?*

Elle acquiesça.

— Désolée, j'ai eu une fuite au cerveau.

— Ne t'excuse pas, c'était bien.

Elle roula des yeux.

— Tu dis ça simplement pour me flatter.

— Tu as franchement de la difficulté à prendre les compliments pour ce qu'ils sont.

Elle plissa le nez, souriant.

— Allez, on reprend ça, je t'accompagne.

Elle soupira, secouant la tête, mais s'y résigna et recommença à jouer. Ben gratta sa basse et Aude continua là où elle s'était arrêtée. Lorsqu'ils eurent joué plusieurs autres morceaux, Ben se leva et rangea sa basse, puis il se tourna vers Aude. Elle lui tendit la guitare. Il la rangea aussi et se retourna vers la jeune femme, les mains dans les poches arrière du jeans. Elle remarqua que le soleil se couchait déjà à l'horizon, et elle posa les yeux sur le bassiste qui la regardait.

— Appelle les gars, dis-leur que demain on pourra reprendre du service.

Il haussa les sourcils.

— Tu es certaine ?

Elle hocha la tête.

— Et Max...

— Je vais régler ça, ne t'inquiète pas.

Elle baissa les yeux.

— Même si ce n'est pas encore clair dans ma tête.

Elle leva les yeux vers lui.

— Mais ça ne sert à rien de rester là à tourner en rond. Il faut que je m'occupe, sinon je vais virer dingue.

— Je vais donner un coup de fil à Max, et il se chargera d'aviser Matt et Justin.

— Je vais aller marcher un peu, dit Aude.

— OK. Avec ta hanche ? Es-tu certaine ?

Elle lui sourit et il comprit que ça ne servait à rien de discuter, elle irait marcher, point.

— Bon, dans ce cas, je vais en profiter pour téléphoner à Max.

Elle le gratifia d'un sourire et il lui rendit. Elle fit le tour de la table basse, s'approcha de lui, posa la main sur son bras, se mit sur la pointe des pieds et déposa un baiser sur sa joue.

— Merci, lui dit-elle tout bas, avant de passer devant lui pour regagner le hall d'entrée.

— Aude.

Elle se retourna vers lui.

— Mmm ?

— Si Max me demande...

— Dis-lui que je vais lui parler quand je serai prête.

Il acquiesça et elle sortit. Ben la suivit des yeux à travers la fenêtre du salon. Elle avait calé ses mains dans les poches de son manteau et elle marchait vers le trottoir. Il prit le combiné et composa. Il laissa sonner et Max finit par répondre.

— Salut... on peut dire ça. Non, pas ce soir. Elle a dit qu'elle voulait recommencer à jouer demain... Tu vas avertir les gars ? OK. Pas de problème. Au bar ? OK. Je vais lui dire pour le passeport. Quand est-ce qu'on part finalement? OK. On va savoir tout ça demain, tu as encore des trucs à confirmer ce soir. Et ta tête, ça va? Max... disons qu'elle veut reprendre du service, mais laisse-lui un peu d'air, OK? Elle m'a dit que lorsqu'elle sera prête, elle réglera ça avec toi en temps et lieu. Je sais, mais mets donc toutes les chances de ton côté. Max, fais ce que tu veux, je te répète ce qu'elle m'a dit. Non, elle est partie marcher. OK, à demain alors. C'est ça, bonne soirée.

Il raccrocha le combiné. Il retourna à la fenêtre, mais elle était déjà bien loin. Ben haussa les épaules et décida d'aller prendre une douche tandis que la salle de bain était libre.

Aude marchait; elle aperçut un banc et alla s'y asseoir. Elle leva les yeux vers le soleil qui tombait. Il ferait nuit bientôt. Elle soupira, repensant aux dernières heures. La soirée, le comportement de Max et Ben qui l'avait recueillie. Elle secoua la tête, se sortant Ben de la tête. Qu'est-ce qui lui prenait? Il n'était pas du tout son genre. Gentil, mais pas dans sa palette. Il avait bien ce petit quelque chose, mais elle était troublée par les derniers événements. Elle se raccrochait à la première personne qui lui avait offert son aide. Ça aurait pu être Matt, voire Justin, selon les circonstances. Elle considéra ce point clos. Quant à Max, elle ne savait plus où elle en était. Elle éprouvait clairement quelque chose pour lui, mais ce sentiment qui avait tenté de percer, il l'avait réprimé. Le fait qu'il ait été complètement drogué n'excusait en rien ses agissements. Arriverait-elle à le lui pardonner? À lui pardonner son infidélité et, par-dessus tout, la violence qu'il lui avait fait subir. Elle se sentait peu encline à laisser ces incidents de côté. S'il pouvait la tromper au tout début de leur relation, il pouvait le refaire maintes fois à l'avenir. Elle aurait toujours ce doute, compte tenu du milieu dans lequel ils évoluaient. Toutes ces filles et ces tentations, ce n'était un bon départ pour une nouvelle relation. Sans compter qu'il lui avait fait mal. Il l'avait frappée à plusieurs reprises. Chaque fois qu'ils se disputeraient ou qu'ils monteraient le ton, elle sentirait la peur de revivre ce calvaire. Perdue, elle enfouit son visage dans ses mains. Elle soupira, puis leva les yeux. Le soleil s'était couché et il faisait déjà noir. Elle devait revenir chez Ben avant qu'il s'inquiète.

Elle prit le chemin du retour et rentra.

— Ben ?

Il ne lui répondit pas. Elle fit le tour du salon et de la cuisine, voyant par la fenêtre que sa voiture était toujours stationnée. À moins qu'il ne soit sorti la chercher, pensa-t-elle. Elle retourna dans le couloir, entra dans la chambre et prit son portable pour lui téléphoner. Elle frisa la crise de cœur lorsqu'elle le vit sortir de la salle de bain, une serviette à la taille, l'eau perlant sur son torse.

— Excuse-moi. Je ne voulais pas te faire peur.

Il s'approcha d'elle.

— Comme tu étais sortie, j'en ai profité pour prendre une douche. L'autre salle de bain de la maison n'a qu'une toilette et un robinet.

Il remarqua bien qu'au-delà de la surprise qu'il avait provoquée chez Aude, elle était là, à le fixer. Il sourit, flatté.

— Aude ?

Elle finit par lever les yeux vers lui, décrochant son regard de son torse, de ses épaules larges comme une armoire et de ses abdominaux. Max pouvait bien aller se rhabiller, pensa-t-elle. Lorsqu'elle croisa son regard, elle vit bien la satisfaction sur le visage de Ben. Gênée, elle détourna les yeux et l'entendit rire, amusé.

— Désolé, Aude, je ne voulais pas... dit-il, un rire dans la voix.

Elle l'observa, mais ne dit rien. Il lui frictionna gentiment les bras, la serrant chaleureusement.

— Quelque chose me dit que tu as eu des envies qui t'ont effleuré l'esprit l'instant d'une seconde.

Elle sourit, encore plus gênée.

— Bon, je te laisse retrouver tes esprits, lui dit-il, lui faisant un clin d'œil.

Il la laissa et sortit, lui montrant son fessier tout en muscles sous la serviette de bain attachée à sa taille.

— Oh ! Je vais bien me garder de mentionner à Max que sa copine a un faible pour les bassistes aux épaules larges !

Il rit, la taquinant. Elle plissa des yeux et soupira. Décidément, la vie n'avait pas fini de lui réserver des surprises. Elle secoua la tête.

— Va t'habiller, espèce d'exhibitionniste ! lui lança-t-elle en riant.

— J'espère que le spectacle t'a plu, c'était ta chance !

Elle ricana, découragée.

— C'est ça, dis plutôt la tienne !

— J'ai bien failli t'avoir. J'ai bien cru que tu allais me tomber dans les bras.

Elle l'entendit monter les marches.

— C'est ça, rêve toujours, bassiste !

Elle l'entendit redescendre en vitesse et il apparut dans le cadre de porte, habillé d'un jeans et d'un chandail ajusté. Il s'approcha rapidement de la jeune femme. Ben la prit par surprise lorsqu'il passa les bras sous ses jambes et la souleva du sol, la passant par-dessus son épaule.

— Ah, mais quelle poche de patates je me suis ramassée !

— Hé ! C'est gentil pour moi, ça : poche de patates !

— Une très belle poche de patates, par contre, ajouta-t-il en lui tapotant le fessier.

Il s'approcha du lit.

— Ben ! lui cria-t-elle, la tête à l'envers.

— Quoi ?

Il la sentit tenter de se redresser contre son épaule.

— J'ai mal.

Il la déposa immédiatement sur le lit le plus doucement possible.

— Désolé, j'avais oublié ta hanche.

Il se mordit la lèvre inférieure, tandis que la jeune femme, étendue sur le lit, soulevait le bas de son chandail, dévoilant le bleu.

— Ça va, ne t'inquiète pas, je l'avais presque oublié moi-même.

Il regarda l'ecchymose qu'elle s'était faite en tombant sur le bord du comptoir la veille, le caressant légèrement du pouce. Aude eut un malaise lorsqu'elle se rendit compte que Ben était près d'elle, penché sur elle, les mains sur ses hanches. Très intime. Toujours étendue, elle leva les yeux vers lui et s'éclaircit la voix, sollicitant son attention. Il croisa son regard, puis se rendit compte de la situation. Il se dégagea, lui laissant de l'espace. Elle se redressa et s'assit en indien sur le lit. Elle posa la main sur son avant-bras.

— Ça va, je t'assure.

Il hocha la tête, rassuré. Il descendit du lit.

— Tu veux aller manger un morceau ? lui demanda-t-il.

Elle hocha la tête.

— Bien. Prends ton manteau, je t'amène souper.

Elle sourit, passa devant lui et se dirigea vers le hall. Elle le sentit derrière elle : il venait de lui mettre une main sur les reins. Elle se retourna vers lui, levant les yeux.

— Quoi ? l'interrogea-t-il.

— Rien, finit-elle par dire, saisissant son manteau. Oh ! je reviens : mon sac à main.

La jeune femme passa devant lui pendant qu'il enfilait son manteau de cuir et la regardait aller avec son jeans trop grand. Il sourit. Même brisée, elle lui semblait radieuse. Elle revint et elle lui sourit. Il lui ouvrit la porte et l'invita à sortir. Il la fit monter dans la voiture et prit place côté conducteur. Ben mit le contact et ils quittèrent la maison. La voiture s'arrêta devant un petit restaurant italien. Elle tapa des mains et se retourna vers lui.

— Rien de tel qu'un bon spaghetti pour changer le mal de place.

Elle acquiesça, entièrement d'accord. Il stationna la voiture et sortit ouvrir la portière d'Aude. Elle descendit de l'Acura et il l'entraîna vers le restaurant. On les assit à une petite table où ils commandèrent. Ben se pencha vers Aude, les coudes appuyés sur la table.

— J'ai parlé à Max pendant que tu étais partie marcher.

— Et ?

Il regarda autour, puis posa les yeux sur elle, se décidant à répondre.

— Disons que j'ai tenté de lui faire comprendre qu'il devait te laisser un peu d'air et que tu ferais les premiers pas quand ça te le dirait...

— Et ? attendit-elle.

— Eh bien, disons qu'un peu comme toi, il a la tête dure et que ça ne me surprendrait pas qu'il t'aborde de front demain.

Elle recula, soupira et jeta un coup d'œil aux clients. Lorsqu'elle revint à Ben, il prenait une gorgée d'eau. Elle hocha doucement la tête, résolue.

— Je voulais simplement te le dire, question de te préparer mentalement.

Elle baissa les yeux. Il posa la main sur la sienne. Aude le regarda.

— Ne t'inquiète pas, s'il se fait trop insistant, je...

— Tu ne feras absolument rien.

Ben la considéra.

— Il est hors de question que vous vous preniez à la gorge pour ma petite personne. C'est bien compris ? lui demanda-t-elle.

Il inspira profondément, tardant à répondre.

— Aude...

— C'est non négociable. Vous êtes amis depuis longtemps et je ne veux pas que ça change. S'il ne respecte pas le fait que j'ai besoin de temps, il me perdra et c'est tout. Et s'il le faut, il perdra une guitariste par la même occasion.

Il retira sa main, croisant les bras sur son torse. La serveuse vint déposer les assiettes, leur souhaitant bon appétit.

— Ben, regarde-moi.

Il leva les yeux vers elle, mécontent.

— Ne me fais pas cette tête. Je ne devrais pas te dire ça, parce que ça te donnera de faux espoirs, mais je veux plutôt te rassurer. Je ne pense pas...

Elle soupira, retint une larme.

— Je ne pense pas vouloir... pouvoir continuer à investir dans ma relation avec Max.

Ben vint les yeux ronds comme des balles de tennis, plutôt surpris. Aude soupira.

— Et demain, je n'ai aucune espèce d'idée de ce que je vais lui dire et encore moins comment Max va le prendre, et...

Elle baissa les yeux. Il vit bien la peur qui la hantait.

— Aude, tu ne peux pas me demander de rester là à ne rien dire s'il te démolit.

Elle leva les yeux vers lui. Elle se mordit la lèvre. Elle croisa les bras sur sa poitrine.

— Je connais Max, et ses relations amoureuses finissent rarement bien...

— Ça va mal tourner, je le sais. Juste à voir ta réaction à la villa... et quand tu es venu me chercher chez lui après la bagarre...

— Bagarre ? Ce n'était pas une bagarre, Aude. Il t'a carrément...

Il grogna presque, se retenant pour ne pas taper sur la petite table pour montrer sa colère.

— Pour se battre, il faut être deux à jeter les gants. Et je ne pense pas que tu méritais de te faire brasser ainsi. Tu mérites plutôt un gars qui va... enfin, bref. Peu importe, je serai derrière toi, que tu le veuilles ou non.

Elle soupira, puis finit par hausser les épaules.

— Allez, mange.

Ils prirent leur fourchette et attaquèrent leur spaghetti. Ils mangèrent, discutèrent un peu et Ben alla payer la note. Aude enfila son manteau et le rejoignit, saluant la serveuse qui lui faisait clairement de l'œil. Aude sourit, amusée.

— J'espère que tu lui as laissé un gros pourboire.

Ben se retourna vers elle, ne comprenant pas de quoi elle parlait.

— Allez, ne fais pas l'imbécile, elle te dévorait des yeux.

Il sourit.

— Comme toi, cet après-midi ?

Elle lui flanqua une des ces baffes sur le bras, il s'étouffa presque de rire.

— C'est ça, moque-toi donc, Roméo !

— Roméo sans Juliette, tu parles ! Ça ne fait pas un long bout de chemin, ça.

Elle réprima un sourire et se retourna vers lui, marchant à reculons.

— Pauvre petit moi ! dit-elle, le narguant.

— Hé ! Cesse de te moquer parce que je vais te croquer.

— Tu aimerais trop ça !

Elle tourna les talons et continua à marcher.

— Si tu savais à quel point, lui lança-t-il.

Elle secoua la tête, levant les yeux au ciel. Il la rattrapa.

— Où est-ce qu'on va ?

— La voiture est de l'autre côté.

Elle posa les yeux sur lui, un sourire aux lèvres, continuant sa route.

— Un café. Je veux un café, dit-elle.

— Si la mademoiselle veut un café, on ira chercher un café !

Elle ricana. Il était si content de la voir heureuse pour un moment, elle semblait avoir oublié Max.

Après avoir commandé un café, ils marchèrent un peu dans la nuit, puis regagnèrent le véhicule. Ben mit le contact, puis posa les yeux sur la jeune femme.

— Quoi ? finit-elle par lui demander.

— Chez toi ou chez moi ?

Elle croisa son regard.

— Ça nous engage à quoi ?

— À rien. C'est toi qui décides. Je te l'ai dit quand je suis allé te chercher chez Max. Il faut que ça vienne de toi.

— Et si rien ne vient de moi ?

Il lui sourit.

— Je m'en contenterai.

Elle acquiesça.

— Un film ?

Elle sourit, hochant la tête.

— Dans ce cas, va pour le salon et un bon film, décida Ben.

En route, elle se retourna vers lui qui gardait les yeux sur la route.

— Dis, tu as d'autres vêtements pour moi ?

Il pouffa de rire.

— Toute une garde-robe, si tu veux.

Elle regarda devant, satisfaite. Lorsqu'ils arrivèrent, il entra la voiture dans le garage. Une fois dans la maison, Ben prit le manteau de la jeune femme et le déposa sur la rampe d'escalier avec le sien. Il se retourna vers elle.

— Fouille dans ce gros meuble-là. C'est rempli de films.

Elle acquiesça et se dirigea vers le salon.

— Je vais nous chercher de quoi passer la soirée.

Elle le regarda s'éloigner vers la cuisine. Elle ouvrit le meuble, découvrant une collection impressionnante de films. Elle laissa son index parcourir plusieurs titres, puis s'arrêta sur *Robin des Bois*, mettant en vedette Russell Crowe. Elle prit le DVD et alla l'insérer dans le lecteur, allumant le cinéma maison. Il revint avec un plat de chips et des canettes de boissons gazeuses sur la table basse. Elle se redressa et se retourna vers lui. Elle ricana.

— Si tu penses que je peux avaler quoi que ce soit après cet énorme plat de spaghetti.

Il haussa les épaules.

— Ce sera pour le deuxième film.

— Le deuxième film ?

— Grosse soirée !

Elle acquiesça, haussant les épaules.

— Allez, boucle d'or, viens t'asseoir.

Il passa devant elle et revint avec une couverture qu'il laissa tomber sur Aude.

— Tiens, tes grandes cannes devraient être au chaud.

Elle le gratifia d'un sourire.

— Merci.

— Mais de rien.

Il vint s'asseoir à ses côtés et fit commencer le film. Après un moment, Ben prit une canette, l'ouvrit et en prit une gorgée. Il se retourna vers la jeune femme, luttant contre le sommeil. Il rit doucement. Elle le regarda.

— Tu ris encore de moi ?

Comme réponse, il passa son bras autour de ses épaules, déposa un coussin sur ses genoux et la força à s'étendre sur le divan, emmitouflée dans la couverture. Elle tourna la tête vers lui.

— Tu exagères un peu, tu ne trouves pas ?

Il porta un doigt à sa bouche, lui faisant signe de se taire. Elle roula des yeux, puis se retourna vers le film, la tête sur les genoux de Ben. Il sourit, content, continuant d'écouter le film. Robin des Bois allait, courant sur son cheval, tandis que le bassiste jetait un coup d'œil à la jeune femme qui s'était endormie. Elle semblait paisible, ses belles boucles dispersées sur le coussin. Il tira le coin de la couverture pour la couvrir et en profita pour passer la main dans ses cheveux, lui caressant tendrement la tête. Il passa ensuite son bras sur sa hanche et revint au film.

Lorsque le générique débuta, Ben éteignit le téléviseur et le lecteur. Il posa les yeux sur la jeune femme qui dormait toujours contre lui. Il l'observa un moment puis, doucement, il se leva et se pencha vers elle. Il passa les bras sous ses jambes et la prit dans ses bras. Il la souleva du sofa et, blottie contre lui, il la porta jusqu'au lit. Il l'y déposa, laissant lentement retomber sa tête sur les oreillers. Toujours endormie, elle se retourna sur le côté, lui faisant dos, recroquevillée sur elle-même. Il sourit, prit la couverture et la borda. Il lui frotta gentiment le dos puis, passant une dernière fois sa main dans ses belles boucles, il s'en alla en jetant un dernier coup d'œil à son amie. Une fois dans le corridor, il regagna la chambre d'invités. Seul dans le lit, il tourna, puis tourna, puis finit par tomber de sommeil.

Le soleil perçait les rideaux de la chambre lorsque Aude ouvrit les yeux. Elle roula sur le dos, soupirant. Elle finit par se redresser et sortir du lit. Elle portait le jeans et le chandail de la veille. Elle avait dû s'endormir pendant le film et Ben était venu la porter dans le lit. Elle passa une main dans sa tignasse, puis se pencha pour ramasser son sac. Elle alla à la salle de bain et se regarda dans le miroir. Elle brossa ses cheveux, mit un peu de mascara et une ligne de crayon, question de lui donner un peu de contenance. On frappa à sa porte.

— Entre, dit-elle.

Il poussa la porte, une tasse de café à la main.

— Bon matin, Miss.

Elle lui sourit et s'avança, laissant son sac sur le lit. Il lui tendit son café. Elle en prit une gorgée, humant la douce odeur de cette boisson chaude.

— Merci.

— Ça me fait plaisir. Bien dormi ?

Elle ricana.

— Plutôt, oui.

— J'ai cru voir ça hier soir, pendant le film.

— Je t'ai abandonné.

— On peut dire ça comme ça.

— Et je suppose que je suis arrivée dans le lit comme par magie.

Il lui sourit, fier.

— Bien sûr.

Elle plissa les yeux et il lui fit la moue.

— Au moins, je suis rassurée de voir que j'ai toujours des vêtements sur le dos.

— Ce n'est pas l'envie qui a manqué, par contre.

— J'imagine, dit-elle, prenant une autre gorgée.

Il se retourna vers une penderie.

— Parlant de vêtements, fouille là-dedans, lui indiqua-t-il.

Il ouvrit la porte du meuble et lui montra les vêtements qui s'y trouvaient.

— Tu devrais trouver quelque chose à te mettre. Bon, je te laisse, je vais aller me préparer. Je t'attends à la cuisine si tu veux manger un morceau.

— À quelle heure faut-il être au bar ?

— On ne va pas au bar, on va au bureau de Max tout d'abord pour finir de régler des trucs de la tournée et probablement que dans l'après-midi on ira répéter.

Elle acquiesça. Il sortit. Elle en profita pour aller fouiller dans la penderie. Elle en sortit un pantalon sport qu'elle enfila et passa une camisole et une veste sport. Elle prit le jeans et le chandail de la veille et alla les déposer dans le panier à linge sale. Elle ramassa les quelques trucs qui lui appartenaient et sortit de la chambre après avoir fait le lit. Elle laissa son sac dans le hall d'entrée avec son manteau et alla rejoindre Ben assis à table, lisant le journal. Elle s'approcha de lui.

— Ça va ? lui demanda-t-il.

Elle hésita à répondre.

— Je ne sais pas.

Il sourit tristement.

— Tu veux manger quelque chose avant de partir ?

Elle secoua la tête.

— J'ai l'estomac noué.

Il acquiesça, désolé.

— Ça va aller.

— Je l'espère.

Il se leva, ferma le journal et s'approcha d'elle. Il lui prit la main, hésita, puis y déposa un baiser. Elle leva les yeux sur lui en soupirant.

— On dirait une demoiselle en détresse, dit-il en riant un peu pour dédramatiser la situation.

Elle sourit presque, baissant les yeux.

— Et toi, Hercule, qui tente de secourir ladite demoiselle en détresse.

Il rit, passa un bras autour de ses épaules et la tira contre lui. La tête contre son torse, elle appréciait ce contact chaleureux. Elle le repoussa gentiment.

— Merci.

Il ne répondit rien.

Ils finirent par quitter la cuisine, se préparèrent et partirent. Ils verrouillèrent et embarquèrent dans l'Acura. Ben stationna la voiture devant la tour à étages, puis regarda Aude qui se tordait les doigts. Il posa la main sur les siennes. Elle leva les yeux vers lui et soupira. Il lui sourit.

— Relaxe, tu vas faire une attaque.

— J'ai le cœur qui bat.

— Calme-toi, on dirait que tu vas perdre connaissance.

— Tu ne crois pas si bien dire.

Il prit sa main dans la sienne et la serra.

— Respire, je suis là.

Elle lui sourit tristement.

— C'est ce qui me fait peur...

Il lui sourit, secouant la tête.

— Aude.

Elle se décida à sortir et il en fit autant. Ils entrèrent dans le bâtiment et prirent l'ascenseur. Ben crut qu'elle allait s'évanouir tant elle était fébrile. Ils empruntèrent un corridor et passèrent devant la secrétaire qui les salua. Ben lui envoya la main et il ouvrit la porte du bureau de Max, laissant Aude passer. Il la suivit et referma derrière eux. Il y avait un bar et un petit salon, et au fond une grande table, en plus d'un bureau de travail de l'autre côté. Aude aperçut Max et Justin, qui discutaient. Max leur fit signe d'approcher. Ils retirèrent leur manteau, les déposant sur l'un des sofas, puis allèrent les rejoindre. Ils se retournèrent et virent Matt arriver, accompagné de Christopher. Tout le monde y était.

Max les fit asseoir à la table de réunion, distribuant un dossier à chacun. Aude se détendit, voyant que personne ne faisait de cas, pour l'instant, de la soirée à la villa. Pas même Max, qui, à son plus grand soulagement, l'avait presque ignorée. Aude prit un des dossiers et en donna un à Ben, assis à ses côtés. Max leur fit part des derniers préparatifs, de ce qu'il attendait d'eux et leur expliqua l'itinéraire de la tournée qui s'échelonnait sur une année. Aude prit des notes. Matt posa quelques questions, puis Christopher leur fit un topo de ce qu'il leur restait à mettre au point sur le plan technique du spectacle. Les minutes devinrent des heures, puis Max libéra tout le monde. Ils se retrouveraient tous au bar pour répéter quelques pièces musicales. Tout le monde se leva.

Aude jeta un coup d'œil à Matt et à Justin qui les saluèrent, elle et Ben, leur disant qu'ils se reverraient plus tard. Christopher finit de remplir quelques papiers avec Max, tandis que Ben entraînait Aude vers la porte, pour son plus grand soulagement. Elle enfilait son manteau lorsqu'elle vit Max lever les yeux vers elle. Il croisa son regard et la fixa. Elle figea. Il lui fit signe. Elle hésita et, sous le regard protecteur de Ben, elle s'approcha. Max fit signe à Ben de sortir. Il arqua le sourcil, s'objectant. La belle brune se retourna vers le bassiste.

— Ça va aller, Ben.

Il soupira, mécontent, saisit son manteau et se dirigea vers la porte.

— Je vais te rejoindre, lui dit-elle, mais il avait déjà claqué la porte.

Max la vit se décomposer. Elle se retourna vers lui. Il allait dire un mot, mais elle leva la main dans sa direction, levant des yeux blasés sur lui.

— Tu n'as pas été capable de respecter ça.

Il ne répondit rien, baissant les yeux.

— Du temps, c'est tout ce que je te demandais. Du temps, Max.

Il leva les yeux vers elle. Elle inspira pour se calmer, posant la main sur le dossier de chaise.

— Aude...

Elle se mordit la lèvre, jouant avec son bijou.

— Je ne sais pas si je suis en colère, ou juste... ou si j'ai juste mal.

Il voulut s'approcher, mais sèchement, elle se recula.

— Je ne voulais pas...

— Je t'avais dit...

— Je sais. Et j'ai été un vrai con.

Il soutint son regard et y vit de la colère.

— Aude, c'est notre mode de vie. Les soirées, les filles...

— Les filles, parlons-en justement...

Il la coupa lorsqu'il vit à quoi elle faisait allusion.

— Pour ce qui est de la mésaventure...

— Mésaventure ? Non, mais tu t'entends ? Il faudrait que j'oublie tout ? dit-elle brusquement.

Elle le vit changer d'air. Aude reconnut le Max sarcastique et hautain qu'elle avait connu au début de leur rencontre.

— Pour une fille qui se cache chez un bassiste qui lui fait des avances aussitôt que ça tourne mal...

Elle serra des dents.

— Mais quel con tu fais !

Il fit un pas vers elle, la colère montant, voulant lui agripper le bras. Elle leva la main.

— Fais un pas de plus et je te défonce la figure, Max.

Il s'arrêta sèchement, la dévisageant.

— C'est quoi, ça ? Quand ça ne fait pas ton affaire, tu joues les gros bras ? Finalement, la coke a seulement fait ressortir le vrai Max.

Elle le voyait bouillir et sentait qu'il était prêt à la secouer. Elle leva froidement son chandail, dévoilant sa hanche. Max posa les yeux sur la blessure. Il la regarda alors, sous le choc.

— Impossible. Je n'ai pas...

— Si, tu l'as fait. Laisse-moi te rafraîchir la mémoire: pendant que je me débattais, tu m'as saisi la cheville et fait trébucher contre ton passe-plat.

Il ne disait mot, la regardant. Elle croisa les bras sur sa poitrine. Il serrait les poings et elle le remarqua bien.

— Aude...

Il voulut s'approcher, mais elle se recula une fois de plus. Il se raidit, voyant qu'il l'avait perdue. Elle vit alors la colère monter en lui.

— Ainsi, c'est ce que tu veux? lui reprocha-t-il.

— Je ne veux plus rien, justement. Les déceptions, j'en ai marre.

Elle lui fit dos, il lui agrippa le bras, la forçant à se retourner.

— Max, lâche-moi.

— C'est ça, sauve-toi avec lui, lui cracha-t-il.

— Pardon? De quoi tu parles?

— C'est ça, tu m'as bien compris. Il a réussi à te monter contre moi et je lui ai servi cette occasion sur un plateau d'argent.

Elle le regardait, sidérée.

— Tu me niaises? lui dit-elle.

— Tu m'as bien compris, dégage de ma vue.

La mâchoire lui décrocha presque. Il ricana mesquinement.

— Lève les feutres, je ne veux pas voir ta sale petite gueule d'allumeuse d'ici la répétition.

Les yeux ronds comme des trente sous, elle tourna les talons, puis, dans un élan de colère, se ravisa, fit demi-tour et revint vers lui; avant qu'il la voie venir, elle lui mit son poing en pleine figure, le faisant tomber à la renverse.

— Ça, c'est pour m'avoir brisée.

Elle lui tourna le dos et se dirigea vers la porte. La jeune femme allait prendre son manteau sur le divan quand la porte s'ouvrit sur Ben.

— Aude !

Elle leva les yeux vers lui, ne voyant pas Max qui s'était approché, le nez en sang ; il lui agrippa l'épaule pour la retourner vers lui. Il serra si fort qu'il lui arracha un hurlement. Ben entra et se jeta sur Max, le retenant. Aude, à genoux, se leva et retourna vers eux.

— Amène ta sale petite face que je te la pète encore une fois !

Elle allait sauter sur leur gérant, mais Ben l'attrapa par le poignet, les séparant.

— Aude ! Sors d'ici, lui ordonna Ben.

Elle le considéra, puis se défit sèchement de lui et sortit en claquant la porte. Max repoussa le bassiste.

— Fiche-moi la paix ! lui hurla-t-il.

— Max.

Il se retourna vers son ami.

— Quoi !

— Regarde dans quel état tu es. Reprends-toi, veux-tu ? À cette vitesse, on va devoir se trouver un autre guitariste !

— Et tu l'aurais pour toi tout seul ! lui cracha Max, s'essuyant le nez avec un mouchoir. Ben grogna.

— Max.

Le gérant leva les yeux vers lui.

— Ça suffit. Tu l'as cassée et tu ne pourras pas recoller les pièces. Un point, c'est tout. Penses-tu qu'elle va revenir après cette superbe démonstration de perte de contrôle ? La seule chose que tu vas arriver à faire, c'est de l'effrayer.

Max se calma, considérant son ami.

— Excuse-moi. Je vais prendre l'air. On se revoit dans une heure au bar.

Ben le regarda sortir, soupirant, découragé.

Lorsqu'il sortit du bureau, il vit Aude adossée au mur, les bras croisés. Continuant son chemin, il lui jeta un coup d'œil, saluant brièvement la secrétaire qui dévisageait la jeune femme. Ben sortit et la vit.

— Aude...

— Tu vois, tu n'as pas eu besoin de le taper, je m'en suis chargé, dit-elle sèchement.

Il leva les yeux au ciel.

— Allez, viens.

Il l'entraîna dehors. Elle respira l'air froid et Ben posa les yeux sur elle. Elle fuyait son regard. Il lui prit les épaules et la força à le regarder.

— Aude.

— Quoi ?

Il lui sourit.

— Calme tes nerfs.

— Mais je suis un paquet de nerfs !

Il approuva, riant, et elle finit par lui sourire.

— Ça va, ton épaule ?

Elle jeta un coup d'œil autour avant de répondre.

— J'ai l'impression qu'un train m'est passé dessus.

— Normal, vu tout ce qui t'est arrivé dans les derniers jours.

Elle tiqua, hochant la tête.

— Bon, allons-y. On a le temps d'aller te chercher un café.

Un café à la main, ils arrivèrent au bar. Personne n'était là, sauf Christopher. Toujours sur son portable, il leur envoya la main et ils gagnèrent la scène. Ben déposa son café et monta, tendant les mains à la belle brune. Elle déposa son gobelet et saisit les mains tendues de son ami. Il la souleva sans peine et elle se retrouva sur scène avec lui. Elle le gratifia d'un sourire. Christopher, au loin, remarqua la scène. Avoir une fille au sein du groupe ne serait pas des plus tranquilles. Il se remit au travail, les ignorant. Aude et Ben finirent leur café, puis branchèrent les instruments. Il ne manquait plus que le reste du groupe. Justin et Matt arrivèrent enfin. Ils vinrent les rejoindre et ils en profitèrent pour ajuster les instruments et le son. Comme Max n'était pas encore arrivé, Christopher leur indiqua ce qui leur restait à mettre au point, et ils enchaînèrent. Aude commençait un solo lorsqu'elle vit Max arriver. Il alla rejoindre Christopher. Elle continua de jouer.

Lorsqu'ils eurent terminé, ils ramassèrent le matériel. C'était la dernière fois qu'ils répétaient au bar. Dans deux semaines, ils partaient en tournée. Le 21 décembre, ils donnaient leur spectacle d'ouverture à Rio et seraient de retour, brièvement, deux jours pour fêter Noël, puis partaient pour l'Europe. Ils laissèrent les instruments sur scène, des techniciens de son se chargeraient de tout embarquer. Ils descendirent de scène et Ben aida Aude à descendre, la prenant par la taille. Elle se laissa glisser contre lui, sous le regard glacial de Max au fond de la pièce. Justin et Matt n'en firent pas de cas, l'atmosphère était déjà assez tendue. Ils rejoignirent Christopher et Max.

— Bon, comme je vous l'ai dit, vous avez deux semaines de congé pour préparer vos valises, expliqua Christopher. Et ne les faites pas que pour les trois ou quatre jours du premier spectacle, mais pour toute la tournée. Je veux avoir vos passeports au plus tard la semaine prochaine ; on embarque dans l'avion le vendredi à 2 h du matin. Un taxi viendra vous chercher. Une fois là-bas, on ira un peu à l'hôtel, mais le soir même vous donnez le *show* d'ouverture. Alors, reposez-vous. Bon, j'y vais, il me reste des choses à régler. On se revoit bientôt et n'oubliez pas votre passeport.

Il les salua et s'en alla. Max se leva.

— On va prendre une bière, leur proposa Matt.

Ils acceptèrent tous, à l'exception de Max qui se désista.

— Bonne soirée, leur dit-il, se dirigeant à l'arrière du bar.

Matt se retourna vers les autres.

— Où est-ce qu'on va ? demanda-t-il aux autres, un sourire aux lèvres.

— Le pub irlandais ? leur proposa Justin.

Ils acquiescèrent. Ils marchèrent tous les quatre. Arrivés au pub, ils s'installèrent à une table au second étage. La musique, l'ambiance et la bière étaient bonnes. On leur apporta des pichets de blonde et de rousse pour fêter le début de leur tournée.

— À votre santé ! dit Matt en fracassant son bock de bière contre celui de Justin et Ben.

Aude était assise, riant. Au grand étonnement de tous, elle cala une gorgée de rousse. Lorsqu'elle déposa son verre, elle vit la tronche sidérée des autres. Elle donna un coup d'épaule à Ben.

— J'ai l'air si coincée ?

Ils rirent, levant leur verre à la jeune femme.

Elle les suivit dans leurs déboires, enfilant les verres de bière l'un après l'autre. Ben la vit bien noyer ses problèmes, mais ne dit rien, préférant la laisser s'éclater quitte à la ramasser par la suite. Elle se leva, les gars la suivant des yeux. Ben lui saisit doucement le poignet et elle baissa des yeux embrumés vers lui.

— Quoi ?

— Où vas-tu ? lui demanda-t-il.

— Au petit coin, je pense que ma vessie ne survivra pas à un autre verre de rousse.

Il lui sourit, se levant.

— Je vais t'accompagner.

Il fit signe aux deux autres qu'ils revenaient dans quelques minutes. Il les entendit faire un commentaire. Il suivit Aude qui s'était déjà aventurée à travers les gens. Il lui prit la main, la forçant à ralentir la cadence. Elle se retourna brièvement, lui jeta un coup d'œil entendu, et il vit qu'elle était complètement soûle, titubant mais arrivant tout de même à se tenir debout. Il sourit. Le bassiste la laissa entrer dans la salle de bain réservée aux dames et l'attendit, s'adossant au mur. Les bras croisés sur le torse, il la vit finalement ressortir après plusieurs longues minutes. Elle ne le remarqua pas et passa à côté de lui, le cherchant dans la foule. Il secoua la tête, faisant un pas vers la jeune femme ivre. Derrière elle, il glissa tendrement sa main dans la sienne, prenant les devants, l'entraînant vers leur table où les attendaient Justin et Matt, une autre bière à la main. Elle se retourna alors vers Ben, leva les yeux, croisa son regard. Il plongea les yeux dans ceux d'Aude qui tenait à peine debout.

— Je suis fatiguée...

— Et soûle ! fit remarquer Matt en riant.

Justin lui donna un coup de coude dans les côtes. Elle se retourna vers le batteur, haussant les épaules. Elle allait répliquer, mais se contenta de l'ignorer, leva une faible main dans sa direction, puis se ravisa et la baissa. Ben lui effleura le bras et elle posa des yeux fatigués sur lui.

— On y va ?

Elle acquiesça et se pencha pour ramasser son sac à main. Elle tomba assise sur sa chaise, riant. Ben croisa le regard de Matt et Justin qui s'amusaient de voir Aude dans un tel état.

— On aura finalement réussi à la faire boire, dirent Matt et Justin. Ben se pencha vers elle et lui prit le bras pour l'aider à se remettre debout. Elle s'accrocha presque à lui. Une fois debout, elle salua les deux autres de la main. Ben les salua lui aussi et la suivit. Elle marchait devant, tentant de revêtir son manteau. Ben l'y aida et fit de même. On leur ouvrit la porte et ils s'engouffrèrent dans le froid de la nuit new-yorkaise. Elle se retourna alors vers lui.

— Ben.

— Hum ? répondit-il, fourrant les mains dans ses poches de pantalon, la suivant qui marchait à reculons.

Puis elle s'arrêta. Il s'approcha de la belle brune, les joues rougies par le froid. Il lui frictionna les bras.

— Pourquoi tu es encore là pour moi ? lui demanda-t-elle tout bonnement, toujours enivrée d'alcool.

Il lui sourit gentiment. Que répondre ? Ne lui laissant pas le temps de dire un mot, elle se hissa sur la pointe des pieds et lui arracha un baiser. La seconde suivante, elle se retourna, paniquée, se prenant la tête à deux mains.

— Désolée ! Je suis tellement désolée... Je n'ai pas le droit de... Désolée !

Elle partit presque à courir, bouleversée. Tout d'abord bouche bée, il resta là, ne comprenant pas trop ce qui venait de se passer. Puis, il la vit trébucher et tomber en se sauvant dans son ivresse. Elle était à genoux, ramassant difficilement son sac. Il la rejoignit, se pencha, passa le bras de la jeune femme derrière son cou et la souleva de terre. Elle protesta, puis se laissa faire, se blottissant contre lui. Il inspira profondément et continua son chemin, la belle ivre dans les bras.

Il regagna la voiture et aida Aude à s'asseoir côté passager. Sur le chemin du retour, Aude commençait déjà à dégriser, mais il ne dit rien de tout le trajet. Elle regardait dehors, silencieuse. Une fois qu'ils furent arrivés, il sortit du véhicule et alla lui ouvrir la portière, mais elle ne descendit pas de l'Acura. Devant son mutisme, il se dirigea vers la maison, la laissant seule. Il entra et laissa la porte déverrouillée. Une fois à l'intérieur, il s'assit dans l'escalier, considérant ce qui s'était passé plus tôt. Cela prit un moment, puis Ben la vit apparaître dans le cadre de porte. Elle referma derrière elle. Aude leva les yeux vers lui. Elle n'était plus ivre et la jeune femme recula jusqu'à ce que son dos touche la porte. Elle y appuya la tête, soupirant gravement. Il regarda ce petit bout de femme qui ne savait plus du tout où elle en était. Il plissa les yeux, l'observant encore. Elle croisa son regard, puis passa la main dans ses belles boucles.

— Ben...

Il se leva, descendit deux marches et s'avança doucement vers elle.

— Je suis tellement désolée.

Elle leva les yeux vers lui. Assez près, il posa les mains de chaque côté de la tête d'Aude, plongeant ses yeux dans les siens, soutenant son regard désespéré et suppliant. Il se pencha légèrement vers elle. La jeune femme sentait le souffle de Ben sur elle.

— Ben, je suis fatiguée, finit-elle par articuler, faisant taire l'envie qui la tenaillait de lui sauter au cou et son désir qu'il la serre contre lui.

Il finit par acquiescer et se dégager, lui laissant le champ libre. Il pointa la chambre du menton, résigné. Elle passa devant lui, puis s'arrêta. Ben s'approcha d'elle, passa un bras autour de sa taille et la tira contre lui. Elle laissa aller sa tête contre son torse et il resserra son étreinte. Elle se laissa faire. Il appuya le menton sur la chevelure de la jeune femme. Ils restèrent ainsi un moment, avant que Ben dépose un baiser sur la tête de la jeune femme. Elle se retourna alors dans ses bras, lui faisant face. Elle leva les yeux et croisa son regard. Tout se bousculait dans sa tête : elle se sentait étrangement bien et en sécurité en sa présence. Il lui caressa la joue et, à sa grande surprise, elle se hissa sur la pointe des pieds et l'embrassa, se pressant contre lui. Il resserra son étreinte, un bras autour de la taille de sa belle, l'attirant un peu plus contre lui, la soulevant doucement. Il lui rendit son baiser. Lorsqu'il la laissa enfin respirer, elle se laissa glisser, posant le pied à terre, une main sur l'avant-bras de Ben. Elle plongea son regard dans le sien. Il lui caressait la hanche, glissant son pouce sous le chandail d'Aude qui restait là, contre lui, ne se dérobant pas. Il soupira doucement ; elle laissa glisser sa main de son avant-bras et il se pencha vers elle, se glissant dans son cou, l'embrassant, resserrant son étreinte autour de la taille de la jeune femme. Il la sentit fondre entre ses bras. Il passa un bras dans le dos de la belle brune et lui arracha un doux baiser, leurs *piercings* s'entrechoquant. Elle retint un rire et il l'embrassa une seconde fois, langoureusement cette fois. Elle se pressa contre lui, passa un bras autour du cou du bassiste et sentit une main baladeuse lui empoigner la fesse. Elle eut un couinement.

— Pas de gêne ! dit-elle, ricanant.

Il lui sourit, tous ses muscles tendus, la tenant dans ses bras.

— Désolé, mais tu me fais fondre.

— Arrête-moi ça. On est bien loin de la top-modèle ! lâcha-t-elle, et il secoua la tête.

— Eh bien, moi, je te trouve superbe. Ce ne sont pas les envies qui manquent !

Il lui arracha un baiser plein de sous-entendus.

— J'ai bien cru sentir ça, lui fit-elle remarquer, appuyée contre lui, ronronnant presque.

Il lui sourit, gêné.

— C'est de ta faute.

— C'est ça !

Il cala les yeux dans les siens, la désirant ardemment, la caressant. La tenant par la taille, lui arrachant un petit cri de surprise, la soulevant, l'embrassant. Elle enlaça ses jambes autour du bassin de Ben qui l'emmena dans la chambre. Il la déposa avec précaution sur le lit et s'étendit sur elle. Ses belles boucles éparpillées sur l'oreiller, Aude se cambra contre lui lorsqu'il se glissa dans son cou pour l'embrasser. Il la mordit doucement et elle gémit, passant la main sous son chandail, effleurant ses abdominaux, puis son dos tout en muscles. Il se redressa alors à cheval sur elle et le retira pour le plus grand plaisir de sa belle. Aude sentit une bouffée de chaleur l'envahir à la vue du torse bombé et des larges épaules de Ben. Elle fit glisser sa main sur le bras de Ben, l'agrippant, tirant cet homme vers elle. Il passa un bras sous la jeune femme, la soulevant, serrant la belle brune à qui il s'apprêtait à faire l'amour. Celle qu'il avait envie de caresser toute la nuit. Accoté sur son coude, penché sur elle, il l'embrassa tendrement, leurs lèvres s'effleurant. De son autre main, il la caressait, descendant le long de sa jambe. Il lui remonta la cuisse contre ses côtes. Il l'embrassa encore dans le cou, la fit gémir de plaisir. Elle s'abandonnait à lui. Il se redressa, croisant son regard qui ne demandait que plus de caresses. Il passa la main sous le chandail d'Aude, effleurant sa peau. Il fit sauter le tissu, la jeune femme se retrouvant en haut de bikini. Il sourit, satisfait, puis se pencha vers elle et l'embrassa langoureusement. Il lui effleura l'oreille, l'embrassa dans le cou tendrement, lui arrachant un soupir de plaisir. Il risqua une main dans le haut du bikini, lui caressant le sein, continuant ses caresses. Il déposa un baiser sur son buste, son ventre, la faisant crier doucement. Elle se cambrait et oscillait contre lui, quémandant encore plus de caresses et de baisers.

Il allait lui retirer son pantalon sport lorsqu'il se ravisa, croisant le regard de la jeune femme étendue qui le considérait.

— Quoi ? lui demanda-t-elle.

Il lui sourit, désolé.

— Aude.

Il se laissa tomber près d'elle. Toujours à moitié vêtue, elle se retourna vers lui, accoté sur son coude, soutenant sa tête. Il vit l'impatience sur son visage.

— On ne devrait pas...

Elle plissa les yeux. Il vit qu'il venait de la contrarier. Elle se retourna, lui fit dos, descendit du lit sans mot dire, ramassant le chandail qu'elle allait enfiler.

— Je ne veux pas te presser... précipiter les choses...

Elle retint un grondement, jurant tout bas, fâchée. Elle jeta un bref coup d'œil à la fenêtre, puis braqua son regard sur lui et son foutu torse musclé, son corps décoré de tatouages.

— Aude.

Elle serra des dents.

— Tu vois ce que tu me fais ! dit-elle en levant les bras au ciel.

Il pouffa de rire et la prit dans ses bras. Elle se laissa faire. Ils restèrent un moment, l'un contre l'autre, puis elle le repoussa doucement.

— Fous-moi le camp que je me calme les nerfs, dit-elle, une pointe d'humour dans la voix.

Il lui sourit, déposant un baiser sur son front, puis la laissa, lui jetant un dernier regard. Elle le suivit des yeux et le regarda sortir. Elle soupira, ses muscles se relâchant, secouant la tête.

Chapitre 19

Impasse

Le matin, elle se leva tôt et décida de s'en aller, laissant une note à Ben qui devait dormir ou qui avait préféré la laisser partir. Elle referma doucement la porte derrière elle, son sac sous le bras. Elle leva les yeux vers le soleil qui se pointait par cette froide journée de fin novembre. Elle jeta un dernier coup d'œil à la maison de Ben, les souvenirs des derniers jours lui embrumant l'esprit. Elle décida de faire le trajet à pied. Ça lui laisserait amplement le temps de réfléchir. Elle finit par croiser une rue principale qu'elle remonta jusqu'à ce qu'elle s'arrête devant la boutique de Greg. Il n'était décidément pas encore arrivé. Elle soupira, déçue, puis, résignée, elle décida de l'attendre, assise sur le rebord de la vitrine du salon de tatouage.

Elle regardait le sol, se tortillant les mains, serrant son sac contre elle dans le froid de la matinée, quand elle vit deux pieds apparaître dans son champ de vision. Elle leva les yeux sur Greg qui émit un sifflement admiratif à la vue de la mine déconfite que sa sœur leva sur lui. Il lui sourit.

— Salut, petite sœur, lui dit-il en tournant la clé dans la serrure.

Il ouvrit la porte et lui fit signe d'entrer. Une fois à l'intérieur, il déposa son matériel et Aude alla s'asseoir sur l'un des bancs près de la fameuse muraille. Greg retira son manteau, puis revint à sa sœur.

— Ça n'a pas l'air d'aller très fort, lui fit-il remarquer.

Elle leva les yeux au ciel, riant amèrement.

— Perspicace !

— Allez, dis-moi ce qui ne va pas.

Elle soupira, puis entreprit de lui raconter les derniers événements. Greg haussa les sourcils lorsque Aude lui raconta l'enfer que lui avait fait vivre Max. Néanmoins, il ne posa aucune question ni ne manifesta sa colère. Elle lui expliqua ses sentiments soudains pour Ben. Greg essaya de décortiquer rationnellement la situation avec sa sœur, l'écoutant, compatissant.

— Ben a probablement raison, Aude. Tu devrais te garder un peu de temps pour toi, pour prendre tes distances. Te reposer avant le début de la tournée. Mets le compteur à zéro. Tu repartiras à neuf pour la tournée et, une fois là-bas, tu verras bien ce qui arrivera.

— Il m'a tellement frustrée ! Me laisser en plan comme ça !

Son frère lui sourit, amusé.

— Moi, je trouve particulièrement respectueux de sa part d'avoir agi ainsi. Il te savait fragile et n'a pas voulu abuser de la situation.

— Mais pourquoi s'est-il avancé alors ?

Greg secoua la tête.

— Aude ! C'est clair qu'il a des sentiments pour toi ! Je ne l'ai rencontré qu'une fois et je peux t'affirmer qu'il ne t'a pas quitté des yeux de toute la soirée.

Elle soupira fortement, se laissant aller contre le mur.

— Laisse-toi un peu de temps. Tu verras bien. Le fait de partir, d'avoir une nouvelle routine, ça va peut-être changer les choses, précipiter les choses. Laisse la poussière retomber avec Max.

Elle le considéra un moment, puis acquiesça.

— Tu as probablement raison… même si tu n'as pas la moindre expérience en amour, le taquina-t-elle.

— Qu'est-ce que tu en sais ?

Elle arqua un sourcil. Il rit jaune.

— Je parle rarement de mes amours.

Aude se souvenait très bien de la belle blonde plantureuse qu'elle avait vue avec lui quelques semaines plus tôt.

— C'est très bien comme ça. Tant que tu es heureux là-dedans. Bon, je vais y aller. Je vais aller prendre une douche ; peut-être que ça va chasser l'idée du torse musclé de Ben avant le souper chez les parents.

Greg lui fit la moue, souriant, et la salua. Une fois qu'Aude fut partie, Greg se gratta la nuque, découragé des histoires de sa sœur, trop compliquées pour lui, puis retourna à ses occupations.

Aude marchait en direction de son loft en réfléchissant à tous ses problèmes. Une fois arrivée, elle se surprit à penser que ça faisait un bail qu'elle n'était pas retournée chez elle. Après son hospitalisation, elle avait séjourné chez Max, puis chez Ben après les derniers événements. Elle soupira, soulagée. Elle en profita pour préparer son passeport et d'autres papiers pour Christopher, qu'elle glissa dans son sac, et sortit une valise qu'elle laissa sur la table de la cuisine. Elle s'en occuperait plus tard.

Elle prit une douche ; comme elle avait une journée juste pour elle, Aude enfila son bas de pyjama et une camisole, après avoir monté le chauffage – il faisait un froid de canard ! Elle s'assit sur le sofa, un calepin à la main, et nota ce dont elle aurait besoin dans ses bagages, puis alla mettre la liste sur sa valise. Elle regarda l'heure. 9 h 57. Elle décida de retourner dormir un peu. La tête enfouie dans l'oreiller, elle se laissa aller au sommeil.

Lorsqu'elle se réveilla, elle roula dans les draps et se frotta les yeux. Elle avait l'impression d'avoir dormi une éternité. Elle tourna la tête vers son réveille-matin. 14 h 38. Elle se botta les fesses et sortit du lit. La jeune femme s'habilla et enfila un jeans et un chandail à manches longues aux motifs colorés. Elle se fit une beauté à la salle de bain, aplatissant ses belles boucles et gorgeant ses cils de mascara. Dans la cuisine, elle prit la liste qu'elle mit dans son sac. Son manteau, ses bottes et son sac sous le bras, elle sortit et verrouilla derrière elle.

Elle fit quelques courses pour acheter les articles de base qui lui manquaient pour ses bagages de tournée. Elle alla chercher une bouteille de vin pour le souper. Sortie du commerce, Aude se mit en chemin pour le nid familial. Des sacs pleins les bras, elle traversa quelques rues, prenant soin de regarder des deux côtés avant de s'engager. Une fois devant la porte des Lewis, elle frappa avec son pied, les bras encombrés de sacs. Princesse vint lui ouvrir avec le sourire.

— C'est déjà Noël!

— Pour ton plus grand malheur, non. Ce sont des trucs qui me manquaient pour mes bagages de tournée.

— C'est vrai. Vous partez bientôt.

— Oui.

— Vous allez où pour commencer?

— Rio.

Ophélie, jalouse, fit la moue.

— Chanceuse! Le Brésil!

— Je te ramènerai des tonnes de bijoux.

Sa sœur tapa des mains, satisfaite.

— Les parents ne sont pas là?

— Non, ils devraient bientôt être de retour avec Jamy. Ils sont allés lui chercher une nouvelle caisse de son pour sa dernière guitare. Papa est parti en peur! Et maman a dit qu'elle ne faisait pas à souper, qu'ils ramèneraient de quoi manger.

— Oh! ça sent les mets chinois!

La porte s'ouvrit justement sur eux.

Ils ouvrirent la bouteille de vin. Ils discutaient en attendant Greg qui ne devait pas tarder, Jamy, lui, jouait en bruit de fond.

Greg arriva enfin et ils passèrent à table. Aude ne parla pas des derniers jours; elle voulait éviter que sa mère aille éventrer Max. Greg se garda d'en parler lui aussi. Aude croisa son regard entre deux bouchées, écoutant son père raconter sa journée. Elle soupira discrètement et lui sourit.

Ils mangèrent, burent et discutèrent longtemps, la lune regagnant sa place, haute dans le ciel. Aude aida Débora à débarrasser la table, puis elles allèrent rejoindre les autres qui dansaient dans le salon, essayant le nouveau jeu de danse sur console XBOX 360. Ophélie ronchonnait sur son incapacité à faire des points à ce jeu, pendant qu'Aude, Greg et Jamy se défonçaient sur la piste de danse au grand plaisir de leurs parents.

Aude regarda l'heure, constatant qu'il était déjà tard.

— Bon, je vais y aller. J'ai des bagages à faire demain.

Les autres se levèrent et l'accompagnèrent à l'entrée. Greg alla lui aussi enfiler son manteau.

— Je vais aller te reconduire, lui dit Greg.

Aude acquiesça. La jeune femme les embrassa et les remercia pour la soirée.

— Vous revenez pour les fêtes ? lui demanda Débora.

Aude lui fit part des détails de la tournée. Ils finirent par les laisser partir après plusieurs promesses d'Aude de rapporter des souvenirs et de leur donner des nouvelles. Et bien sûr, elle viendrait les voir la veille de son départ.

— On se voit bientôt, leur dit-elle, refermant la porte derrière elle.

Greg, des sacs pleins les bras lui aussi, se retourna vers sa sœur avant de prendre l'ascenseur.

— Ouf, je pensais qu'ils ne nous laisseraient jamais partir !

— C'était bien mon impression.

Ils rirent et prirent l'ascenseur. Dehors, ils s'engagèrent sur le chemin du retour.

— Tu sais, j'ai repensé à ton histoire, aujourd'hui.

— Hum...

— Peut-être que Ben, sans le vouloir, se laisse désirer.

Aude haussa les sourcils.

— Quoi ? Quelle idée tordue !

Greg rit doucement.

— Ce que je veux dire, c'est qu'intérieurement, sans s'en rendre compte, Ben pourrait vouloir que tu le désires autant que lui te désire. C'est peut-être seulement un moyen de défense. Mets-toi à sa place :

la fille qui lui est tombée dans l'œil était prise et il la recueille chez lui, en plus de lui tomber carrément dans les bras. Il a peut-être tout simplement peur, inconsciemment, d'être blessé. Il a probablement le sentiment que c'est trop beau pour être vrai et que tu lui as manifesté de l'intérêt seulement parce qu'il a été une bouée pour toi.

Aude soupira. Greg n'avait pas tort. Même elle, elle n'était pas certaine de ses propres sentiments pour Ben, alors comment lui pouvait-il se résigner à les accepter sans méfiance? Ils étaient maintenant arrivés devant chez Aude. Elle leva les yeux vers le bâtiment et se retourna vers son frère qui lui tendait ses sacs.

— Merci.

— De rien. Bon, tu es certaine que ça va aller?

Aude pouffa de rire. Elle secoua la tête, comme pour chasser une idée.

— Rien. C'est juste qu'avant... avant qu'on déménage ici, quand on allait à l'école ensemble, c'était plutôt moi qui te demandais toujours si tu allais être correct.

Il lui sourit.

— Tu vois, continua-t-elle en fixant le sol, tout le monde vit des moments difficiles. Disons que j'ai mon quota des moments difficiles.

— Ça va passer. Dis-toi que cette tournée va peut-être te permettre de laisser tout ça derrière. Amuse-toi et profite donc du voyage.

Elle lui sourit, acquiesçant.

— Bon. Je vais y aller, il est tard. Tiens-moi au courant et on se revoit bientôt avant que tu partes. N'oublie pas les parents.

Ils rirent et Greg s'en alla. Elle le suivit des yeux, puis elle rentra. Une fois chez elle, Aude alluma les lumières et alla déposer tous ses sacs sur la table de cuisine, aux côtés de sa valise. Elle retira son manteau qu'elle lança sur le sofa, faisant voler ses bottes près de la garde-robe d'entrée. Elle revint à ses sacs dont elle vida le contenu. Elle alluma sa chaîne stéréo et fit jouer son album de Papa Roach, quoi de mieux pour faire ses bagages! Elle monta le volume, bien qu'il soit tard; les murs devaient être insonorisés au prix que lui coûtait le loft! Elle entra dans sa chambre et ouvrit les portes de sa garde-robe. Elle considéra un moment plusieurs morceaux, puis se souvint des vêtements que lui avait fournis le Sweet Skin. Elle se rappelait que Max en avait fait préparer des doubles pour la tournée, mais décida tout de même d'en apporter quelques-uns. En vraie fille, elle prit l'un des paniers pour ranger la lessive propre et le remplit de vêtements. Elle en apporterait plus que nécessaire, pourquoi pas !

Elle alla ensuite dans la salle de bain. Elle prit l'une de ses petites trousses et y fourra maquillage, parfum, brosse à cheveux et tous les autres produits pour le corps. Elle revint la poser elle aussi près du reste des bagages qu'elle considéra un instant sceptique – jamais au grand jamais, ça n'entrerait dans sa valise. Elle devrait aller en acheter une autre pour la tournée, c'était certain ! Résignée, elle tourna les talons et décida de laisser le tout sur la table de la cuisine ; le lendemain, elle irait chercher une immense valise. Elle en profita pour prendre ses messages sur son ordinateur portable qu'elle laissait toujours traîner sur la table basse du salon. Puis, elle écouta un peu les nouvelles aux infos. Aude finit par se dire qu'il était peut-être temps d'aller dormir. Elle regagna son lit et déposa son portable sur la table de chevet, puis roula dans les draps, fermant les yeux. Son téléphone vibra alors, signe qu'elle venait de recevoir un message texte. Elle lut :

J'espère que tu vas bien. Merci pour le petit mot. Dors bien, on se voit bientôt... Enfin, je l'espère. Ben

Elle eut un pincement au cœur. Elle ne savait trop comment réagir. Elle soupira, puis, se rappelant ce que lui avait conseillé son frère, elle se dit qu'elle laisserait les choses aller. Elle hésita à répondre, mais ne put se retenir.

Bonne nuit xxx

Sans plus. Elle voulut écrire autre chose, mais elle se raisonna, déposa son téléphone et se cala la tête dans ses oreillers. Elle retint un grondement d'insatisfaction devant son indécision. Elle secoua la tête, découragée d'elle-même, puis se résigna à dormir. Après un moment, elle chassa toutes ses idées et finit par s'endormir.

Chapitre 20

L'avenue des possibles

Elle se réveilla tôt, déjeuna et s'habilla chaudement. Elle se refit un brin de toilette, s'enveloppant de son parfum préféré. Motivée par cette belle matinée ensoleillée, elle enfila tout son attirail pour affronter le mordant du froid extérieur, puis sortit. Comme le centre commercial était à l'autre bout de la ville, Aude décida de prendre sa voiture pour aller faire ses dernières emplettes. Elle prit place dans sa Camaro et mit le contact. Ça ne lui ferait pas de mal de rouler un peu ; comme il n'y avait pas encore de neige et qu'elle partait pour plusieurs jours, puis quelques semaines pour la tournée, elle en profiterait pour lui faire une bonne tournée. Elle prit le chemin le plus long pour se rendre au centre commercial. Elle stationna la voiture dans le stationnement souterrain, puis y laissa son manteau. Son sac sous le bras, elle monta l'escalier de service.

Elle se retrouva devant plusieurs petites boutiques. Cela faisait un bail qu'elle n'avait pas magasiné, à part pour la séance robe de bal d'Ophélie. Elle s'arrêta chez le bijoutier, et elle se fit plaisir. Elle acheta un nouveau bijou de lèvre et retira celui que lui avait offert Max. Elle déposa l'ancien dans la petite boîte et le bijoutier lui tendit un miroir pour qu'elle enfile le nouveau. Un petit diamant blanc perlé. Elle le remercia, paya et le salua. Elle passa devant plusieurs boutiques, puis s'arrêta dans quelques-unes pour essayer vêtements et lingerie, question de se refaire une garde-robe avant de partir. Les vendeuses lui plièrent gentiment le tout, elle n'aurait qu'à enfouir tout ça dans la valise qu'il lui restait à trouver. Elle fit le tour des cosmétiques, et sortit avec plusieurs autres palettes et produits de beauté. Puis, elle s'arrêta devant un magasin de chaussures et décida d'aller y faire un tour. Les bras chargés, l'un des vendeurs lui offrit de laisser ses sacs derrière le comptoir pour qu'elle puisse facilement essayer les souliers. Elle fit le tour de quelques étagères et remarqua plusieurs modèles de souliers et bottes qu'elle fit mettre de côté par le vendeur. Elle les essaierait tous en même temps. Elle se dénicha deux paires de sandales, plusieurs paires d'escarpins et d'autres souliers à talons aux motifs et couleurs déchirants, des bottes follement belles et une paire de Puma décontractés. Elle paya la note sous le regard inquisiteur du vendeur. Elle le remercia et reprit ses tonnes de sacs en plus de ceux contenant les souliers.

Les bras chargés, elle décida d'aller porter le tout dans la Camaro. Elle revint par la suite à l'étage pour son dernier achat : la valise. Elle s'arrêta manger une bouchée à un petit kiosque à tacos, puis fit une dernière halte bouffe pour se prendre un café au lait et noisettes dans un charmant petit bistro tout près de la boutique de voyage. Son gobelet à la main, elle entra dans la boutique et s'approcha du mur plein à craquer de valises. La vendeuse la salua et vint à sa rencontre. Aude lui fit part de ce qu'elle cherchait et la femme lui montra plusieurs modèles. La jeune femme trancha finalement pour une énorme valise en cuir fuchsia qui comprenait une autre valise plus petite et un bagage à main. Aude retourna enfin à la voiture, sa séance de magasinage tirant à sa fin. Elle passa devant une librairie, puis, haussant les épaules, décida d'y faire un arrêt. Pendant les heures de vol, elle ne serait pas fâchée d'avoir pour ami un bon livre. Surtout que cela faisait un moment qu'elle n'avait rien lu. Avec sa grosse valise, elle fit le tour des étagères, prenant soin de ne pas tout faire tomber derrière elle en tournant les coins. Elle se choisit quelques romans, puis alla payer, sous l'œil interrogateur de la caissière à la vue de l'énorme valise. Aude n'en fit pas de cas, paya, puis la salua. La jeune femme regagna la Camaro, tentant de rentrer la valise dans le coffre arrière, ce qui fut évidemment impossible vu la tonne de sacs. Alors elle se résigna à la passer sur la banquette arrière.

Elle sortit du stationnement et décida de faire un arrêt au bar, question de laisser les derniers papiers à Christopher. Elle laissa la voiture derrière le bar et fit le tour, frappa à la porte qui était encore verrouillée à cette heure de la journée. Malheureusement, ce fut Max qui vint ouvrir. Elle affronta son regard fatigué.

— Salut, lui dit-il, la laissant entrer.

Elle le suivit jusqu'à la table où il était assis, des papiers éparpillés.

— Tu ne travailles pas au bureau ? lui demanda-t-elle.

— Non, j'étouffe là-bas. Ici, c'est mieux.

Il se laissa aller contre le dossier de sa chaise.

— Qu'est-ce que je peux faire pour toi ?

— En fait, je venais laisser les papiers que nous avait demandés Christopher.

Elle les sortit de son sac.

— Tu peux me les laisser. Je suis censé le rencontrer cet après-midi.

Mal à l'aise, elle allait partir en évitant bêtement son regard lorsque Max lui demanda :

— Sinon, ça va mieux ?

Elle leva les yeux vers lui, penchant la tête d'un côté, puis de l'autre.

— Ça dépend, lui répondit-elle, un bref sourire sur les lèvres.

Il lui sourit, désolé. Il y eut un silence.

— Bon, je vais y aller, Max. J'ai plein de trucs dans la voiture...

— Dans la voiture ! siffla-t-il, admiratif. Tu as sorti la Camaro !

— Effectivement, dit-elle en lui faisant la moue, croisant les bras sur sa poitrine.

Il la taquinait et elle le savait bien. C'était à nouveau le Max avec qui elle avait passé de bons moments. Mais l'image du Max qui l'avait traquée et humiliée n'était jamais loin dans ses pensées. Il rit doucement.

— Tu me la montres ? lui demanda-t-il, suppliant.

Elle soupira, puis se résigna, lui faisant signe de la suivre. Elle le précéda et il la suivit, enfilant son manteau. Une fois dans le stationnement arrière, il siffla d'admiration à la vue de la Camaro ZL1 blanche. Fière, elle sourit. Max s'approcha du véhicule et laissa sa main glisser le long de la portière. Il se retourna vers Aude, restée à l'écart.

— C'est un beau modèle, lui dit-il. Et pas une égratignure !

Elle plissa le nez et il rit faussement.

— Bon, c'est pas ma Lexus, mais quand même !

Elle roula des yeux et s'approcha de la Camaro,

— Ta Lexus ! Une chance que j'étais là, elle aurait été perte totale ! ajouta-t-elle à la blague, mais elle vit le visage de Max s'assombrir. Oh, excuse-moi, je ne voulais pas..., dit-elle, désolée.

Il posa les yeux sur elle et fit un pas en avant.

— Non. C'est moi qui suis désolé. J'ai mal agi et encore plus par la suite.

Il lui prit la main, mais elle se déroba.

— Max, écoute. Je ne sais plus où j'en suis.

Il la regarda avec ses yeux sévères, mais chassa sa mauvaise humeur.

— Tu es une grande fille. Tu sais ce que tu fais. J'ai agi comme un con et je dois en assumer les conséquences. Ben a un faible pour toi depuis le début...

— Max, je ne suis pas sortie de ta vie pour me lancer dans le lit de Ben !

— Ce n'est pas ce que j'ai voulu dire.

— Bon, le sujet est clos alors, dit-elle sur un ton ferme.

— OK. Tenons-nous-en là. Je vais rentrer, j'ai des papiers à préparer pour ma réunion avec Christopher. Je vais lui remettre ton passeport. Je te laisse aller faire tes bagages.

Il passa devant elle, lui envoyant la main, puis il se retourna un instant vers elle.

— J'espère que Rio va te plaire !

Elle lui sourit et il s'en alla.

Elle grimpa dans sa voiture, puis s'engagea sur la route. Une fois chez elle, elle dut faire plusieurs allers-retours, sous l'œil amusé du portier, pour monter toutes ses courses chez elle. Elle téléphona à sa sœur et lui raconta tout ce qu'elle venait d'acheter. Ophélie lui fit savoir que si elle cherchait quelqu'un pour se débarrasser de sa vieille garde-robe, elle était volontaire. Aude rit et dit à sa sœur d'embrasser les autres pour elle. Elles se verraient la semaine prochaine, avant qu'Aude prenne l'avion pour Rio.

Aude entreprit de sortir ses emplettes des sacs et déposa le tout un peu partout dans le salon et la salle à manger. Un vrai champ de mines ! Elle soupira, ne sachant trop par où commencer. Elle sortit les deux plus petites valises de la grosse et commença à placer les vêtements et sous-vêtements dans la plus grosse. Elle prit la seconde, un peu plus petite, et la remplit de souliers, de bottes et d'autres accessoires. Finalement, elle utilisa le bagage à main pour ses produits esthétiques. Satisfaite d'avoir terminé ses bagages, elle mit les valises près de la porte d'entrée ; ainsi, le chauffeur de taxi n'aurait pas bien loin à faire pour les prendre et les mettre dans la voiture.

Son portable sonna. C'était Christopher qui avait oublié de lui dire que la veille de leur départ, elle avait un rendez-vous au Sweet Skin pour faire faire des retouches de dernière minute avant la tournée. Les autres arriveraient tôt le matin, mais ils n'avaient pas de place pour elle à cette heure. Aude le remercia et nota le rendez-vous dans son agenda. Elle leva les yeux vers l'horloge de sa cuisine : 16 h 53. Aude allait déposer le portable lorsqu'il vibra...

Un café ?

Elle se surprit à sourire, secouant la tête. Sacré Ben, il ne lâcherait donc pas le morceau. Elle soupira, résignée, et répondit :

OK. Mais rien d'autre ! Quelle heure ?

Elle attendit, son cœur sautant un battement.

OK. C'est toi qui vois, beauté ! 18 h 30. Je passe te prendre ? Quel café ?

Elle tenait son portable entre les mains, se mordant la lèvre inférieure, ne sachant trop quoi répondre. Elle sourit.

Va pour 18 h 30. Et pour le café, surprends-moi !

Elle allait laisser le téléphone sur la table pour sauter dans la douche se préparer, mais il vibra pour une toute dernière fois.

Noté !

Elle pouffa de rire, secoua la tête et déposa enfin le téléphone. Elle prit une douche rapide, puis se sécha, essuyant sa tignasse. Elle mit de la mousse dans ses belles boucles et les remonta d'un bandeau. Elle passa la serviette, l'attachant sur sa poitrine, et retourna dans la chambre. Aude ouvrit sa garde-robe et tassa de gauche à droite et de droite à gauche, plusieurs fois, les vêtements qui s'y trouvaient, pour finalement se décider. Elle sortit une paire de leggings noirs, un chandail long, et les enfila. Le chandail lui descendait juste sous la fesse, rien de trop voyant ni vulgaire, juste classe et confortable. Elle tassa la tonne de bottes qui s'empilaient dans le fond de la garde-robe et en sortit une paire noire à talons plats qu'elle enfila. Elle ouvrit l'un de ses tiroirs, fouilla et en sortit une ceinture qu'elle passa par-dessus le chandail long, sur ses hanches.

Elle se regarda dans le miroir, étonnamment satisfaite du reflet qu'il lui renvoyait. Elle lissa son chandail, jeta un dernier coup d'œil à l'ensemble, puis alla fouiller dans son coffre à bijoux. Elle opta pour de petits diamants blancs à ses oreilles et une bague à son majeur. Elle retourna se faire une beauté devant le miroir. Elle sécha un peu ses cheveux pour faire saisir la mousse et rehausser ses belles boucles brunes, blondes et fuchsia. Une ligne noire pour définir sa paupière supérieure, beaucoup de mascara, et pas de *gloss* aujourd'hui.

Un dernier regard à la glace, puis, convaincue, elle sortit de sa chambre, fermant la lumière derrière elle. Direction : cuisine. Il était déjà 18 h 10 ! Elle se dépêcha à mettre son cellulaire dans son sac, puis alla chercher un manteau plus long qui serait plus approprié. Une fois prête, elle en profita pour se laisser une ou deux lumières allumées, puis entendit un klaxon. L'Acura de Ben était stationnée devant l'immeuble. Elle remonta la fermeture éclair de son manteau, prit son sac et sortit. Une fois dehors, elle se dirigea vers la voiture. Elle ouvrit la portière et s'assit côté passager. Elle croisa son regard.

— Salut, finit-il par articuler.

Elle lui sourit.

— Salut.

Il s'engagea sur la route. Il monta le son de la radio, Aude appréciant. Tout en gardant les yeux sur la route, il lui souriait.

— Je ne pensais pas que tu accepterais.

— Je ne pensais pas avoir de tes nouvelles.

Il lui jeta un bref regard qui voulait tout dire.

— C'est ça, après les avances que tu m'avais faites !

Ils rirent, l'atmosphère devenant moins tendue. Aude regardait les petits commerces qui défilaient devant eux.

— Où est-ce qu'on va ?

Elle le vit sourire encore.

— Ah ! tu voulais être surprise, attends de voir.

— Bon, dit-elle, un sourire dans la voix. Attendons de voir alors !

Ils traversèrent la ville et la jeune femme soupçonna Ben de faire plusieurs détours pour étirer le trajet. Il immobilisa finalement la voiture devant un petit café. Ça avait l'air assez miteux. Elle se retourna vers lui, la même expression sur le visage. Il pouffa de rire.

— Souviens-toi, tu le dis si bien : ne pas se fier aux apparences.

Il ne lui laissa pas le temps de répondre et sortit, faisant le tour de la voiture, et vint lui ouvrir la portière. Elle sortit et remarqua bien qu'il la dévorait des yeux. Elle croisa son regard et s'éclaircit la voix.

— Excuse-moi, je ne voudrais surtout pas te déranger, mais on y va ?

Il sortit de sa rêverie, lui sourit, gêné, et lui fit signe d'avancer. Elle s'exécuta et monta les quelques marches. On leur ouvrit la porte et Ben salua le portier, suivant Aude. Une fois à l'intérieur, elle remarqua l'odeur du café et l'apprécia, se tournant vers Ben qui lui sourit, la poussant gentiment vers une table. Dans le coin de la pièce principale de ce petit café, des musiciens jouaient de la musique folk. Ben tira une chaise et la fit asseoir.

— Je vais chercher nos cafés.

Pendant qu'il commandait au comptoir, Aude observa les lieux : des guitares, des violons décoraient les murs, un piano se trouvait au fond de la pièce. C'était un endroit décidément à découvrir. Ben revint vers elle. Il lui tendit un café avant de s'asseoir lui aussi. Elle prit une gorgée.

— Noisettes, dit-elle, mielleuse.

Il hocha la tête, satisfait.

— Comment tu as su ?

Il sourit, satisfait, jeta un coup d'œil sournois autour de lui, puis revint à elle.

— C'est l'instinct.

Elle arqua un sourcil, se redressa, s'adossant au dossier de sa chaise, et croisa les bras sur sa poitrine.

— L'instinct ?

Il ricana en voyant le petit air qu'elle tentait de se donner.

— Une intuition...

Il se pencha vers elle et chuchota, comme de subtiles caresses...

— Tu es sadique, tu sais.

— Relaxe. Je te taquine.

À petites gorgées, ils buvaient leur réconfortant café tout en discutant. Ben finit par aller leur chercher un autre café tant leurs discussions s'étiraient. Lorsqu'il revint vers elle, il remarqua avec quel intérêt elle écoutait les musiciens qui ne semblaient jouer que pour eux-mêmes. Elle finit par décrocher et revenir à lui.

— Merci, dit-elle en prenant la tasse qu'il avait déposée devant elle. On en était où ?

— Je ne sais plus trop de quoi on parlait, mais toi, tu étais rendue loin.

— C'est joli ce qu'ils jouent.

— C'est vrai que c'est une belle mélodie.

Il pencha la tête, l'observant un instant.

— Quoi ? finit-elle par lui demander.

Il sourit chaleureusement, plissant les yeux.

— Rien.

— Hum !

— D'accord, d'accord. Je trouve ça beau, la relation que tu as avec la musique.

C'était maintenant elle qui plissait les yeux.

— Je veux dire, poursuivit-il, que tu as toujours l'air à fleur de peau. C'est seulement au contact de la musique que je te vois t'ouvrir. Sur scène, tu rayonnes, tu sembles apaisée. Je suis prêt à parier que peu importe le style musical, tu sais en apprécier chaque mélodie. Pas comme Matt ou Justin qui ne vivent que pour le métal. Pour eux, c'est un style de vie, ou quelque chose comme ça. Pour toi, on dirait que c'est autre chose... comme si la musique était...

Il cherchait ses mots.

— Une émotion, ajouta-t-elle.

— Pardon ?

— Le mot que tu cherches, c'est : émotion.

Il finit par hocher la tête.

— Oui, c'est ça. On dirait qu'elle t'anime.

Elle inspira, allait répondre, puis se ravisa, hésitant à s'ouvrir à lui. Elle avait tant été blessée par les hommes, les autres, ces derniers temps. Il le remarqua et lui sourit, désolé.

— Tu n'es pas obligée de répondre, la rassura-t-il. Tu n'as pas besoin de le dire, je le vois. Quand on a joué ensemble, chez moi, dans mon salon, juste tous les deux, je t'ai bien vue t'ouvrir. Tu n'as rien dit, tu t'es contentée de jouer, mais tu as refait surface pendant un instant...

Il fut interrompu par l'un des musiciens qui s'était levé et s'était avancé vers eux.

— Hé, Ben !

Ben se retourna vers lui.

— Arrête d'importuner cette demoiselle, dit-il en riant, et viens jouer.

Ben se retourna vers Aude qui acquiesça, lui donnant son approbation. Il lui sourit, se leva et alla les rejoindre.

— Keven ! Ça fait longtemps que je la travaille celle-là ! Tu viens de bousiller ma seule chance !

Ils rirent et Ben se retourna vers la jeune femme qui secouait la tête, riant. À la grande surprise de celle-ci, Ben prit l'un des violons accrochés au mur et rejoignit les musiciens sur la petite scène. Il se retourna vers elle, qui le regardait avec intérêt, curieuse de voir ce qu'il leur préparait. Ce n'est qu'à ce moment-là qu'Aude remarqua l'un des musiciens qui tenait une cornemuse. Au grand plaisir de la salle, il poussa une première note, ce qui donna le ton, et les autres instruments laissèrent échapper leurs notes à l'unisson, à part le violon. C'était du folk irlandais, avec une petite touche de métal symphonique venant de la guitare qui donnait le rythme.

Aude sourit, enivrée par cette musique d'époque. Ça ne prit qu'un moment avant que Ben fasse résonner son violon pour le plus grand émoi de la jeune femme. Des notes puissantes et douces qui se mariaient à la mélodie. Les gens dans la salle se levèrent, applaudissant à l'unisson, suivant la musique, encourageant les musiciens qui semblaient s'amuser. La tête inclinée, Ben continua de jouer ; il leva les yeux vers la jeune femme et vit le sourire qui lui traversait les yeux. Elle resta là, à les écouter jouer, appréciant jusqu'à la dernière note cette pièce irlandaise.

Lorsqu'ils terminèrent, tous les clients étaient debout à applaudir. Ils s'inclinèrent en une brève révérence et Ben remit le violon à Keven. Il revint vers Aude, toujours debout. Il s'approcha et s'arrêta près d'elle. Elle leva les yeux sur lui et croisa son regard.

— Tu ne m'avais pas dit que tu jouais du violon, lui fit-elle remarquer en posant le doigt sur ses pectoraux.

Il eut un sourire satisfait.

— Chacun ses petits secrets. Je ne pouvais user de tous mes charmes le même soir.

Elle rit, roucoulant presque. Elle retira son doigt et lui fit une moue sceptique, et se mordit la lèvre inférieure.

— Bon, disons que je te pardonne.

Il pouffa de rire.

— Vraiment ?

Elle hocha la tête à demi sérieuse.

— Et à quel prix ? lui demanda-t-il.

— Voyons voir… des leçons de violon privées seraient un juste prix à payer.

Il la considéra, feignant d'y réfléchir sérieusement. Elle croisa les bras sur sa poitrine, attendant. Il finit par lui sourire et acquiesça. Il jeta un coup d'œil autour de lui, puis à sa montre.

— On devrait y aller, il est tard.

Elle hocha la tête et tourna les talons pour prendre son manteau sur la chaise. Elle sentit la main de Ben dans son dos qui s'était rapproché d'elle. Son visage près de celui de la jeune femme, il en profita pour humer son parfum. Elle avait quelque chose de sucré – même s'il l'aurait bien croquée tout rond ! Lorsqu'elle se redressa, elle se retrouva face à lui, son manteau à la main. Elle figea, à quelques centimètres des lèvres de Ben. Ces mêmes lèvres qui, quelques jours auparavant, l'avaient embrassée. Elle sentit une bouffée de chaleur l'envahir. Elle s'excusa et se déroba, prenant le chemin de la sortie. Il secoua la tête et la suivit. Une fois dehors, elle descendit les marches et s'approcha de la voiture. Elle allait prendre la poignée et ouvrir la portière lorsqu'il la rattrapa. Le bassiste la força gentiment à se retourner, la poussa contre la voiture et se pressa contre elle, la serrant contre lui. Ne s'y attendant pas, elle sursauta, étonnée. Il rit doucement et la serra un peu plus contre lui. Elle soupira.

— Ben.

Il ne bougea pas, glissant plutôt une main dans ses cheveux, l'étreignant plus fort. Elle resta là, le visage contre son torse. Elle appréciait la chaleur de son corps contre le sien qui la protégeait du froid. Elle se recula un peu, se cambrant contre la voiture. Il plongea ses yeux dans les siens. Pour la première fois, elle remarqua le bleu de ses yeux. Il se pencha vers elle, passant un bras autour de sa taille, et caressa le nez de la jeune femme avec le sien, puis effleura ses lèvres et l'embrassa doucement. Il la sentit fondre contre lui et il la retint, la serrant un peu plus. Lorsqu'il relâcha son étreinte, il la vit ouvrir les yeux dans un battement de cils.

— Je te ramène ? lui demanda-t-il.

Comme réponse, elle se dégagea de lui et ouvrit la portière côté passager. Il fit le tour de l'Acura et s'installa côté conducteur. Elle se tourna alors vers lui.

— Si quelque chose se passe, ça viendra de toi, lui dit-elle, un sourire dans la voix, puis braqua son regard sur la route, croisant les bras sur sa poitrine, satisfaite.

Il secoua la tête.

— Hum ! Je vois. Comme ça, la partie prend une tout autre allure.

Elle lui sourit, taquine, haussant les épaules.

— N'oublie pas, tu me dois des leçons de violon… et je n'ai pas de violon chez moi.

Il pouffa de rire, constatant l'orgueil démesuré de la jeune femme. Ben mit le contact et ils s'engagèrent sur la route.

Remerciements

Le monde est pour moi l'une de ces boîtes dans lesquelles je me plais à fouiller. Une boîte sans fond où la vie semble s'être efforcée de mettre sur ma route beaucoup de monde. Parfois des personnes qui ne semblaient rien m'apporter ou qui me faisaient même reculer, parfois des personnes qui, j'en remercie ma bonne fée, m'ont permis de devenir celle que je suis aujourd'hui. Je ne dis pas qu'il ne me reste pas de chemin à parcourir, mais je remercie chaque soir l'Univers de m'avoir tant donné.

Merci, mon amour, de toujours me pousser à aller plus loin. À voir les bons côtés des choses, à choisir le verre à moitié plein et à venir me chercher n'importe où, à n'importe quelle heure, quand je me mets les pieds dans les plats ! Merci de te lever tous les matins avec mon air bête matinal, de supporter mes excès de joie et, surtout, merci d'être celui qui a croisé ma route pour faire le bout de chemin qui se dessine devant. Je t'aime.

Merci, maman, d'avoir été et d'être encore et toujours celle sur qui je peux m'appuyer, dans les défis comme dans les moments difficiles. Merci d'être celle qui me rappelle de mettre les valeurs aux bons endroits et qui me brasse la cage. Celle que j'appelle une fois par jour, celle qui m'appelle deux fois par jour. Celle qui remue ciel et terre pour que chacun ait sa petite place au sein de notre famille. Merci d'être *ma* mère.

Merci, papa, de faire de moi une vraie princesse avec mon carrosse turquoise. Mais surtout, merci pour tous ces beaux voyages en camion qui m'ont donné le goût de voir le monde. De l'écrire. De le partager.

Merci, mamie, d'être une oreille attentive et de m'encourager chaque fois que j'en ai besoin.

Merci, Samuel. Merci d'être toi. Juste toi, tel que tu es. D'être le Forrest Gump de ma vie. D'être celui avec qui je peux parler de tout. Celui qui sait garder les secrets. Merci de me faire autant rire.

Merci, Maude, d'être ma sœur, ma complice et ma meilleure amie. Merci d'être ma précieuse petite cocotte.

Merci, Jérémie. Merci d'être le petit frère musicien de toutes ces histoires folles, celles qui agitent mon imagination. Merci d'être celui avec qui je peux encore me battre avec des épées en mousse, comme si on avait toujours dix ans.

Merci, Karine. Merci d'être ma première lectrice et, surtout, de m'avoir fait croire que mes histoires n'étaient pas trop folles.

À toutes les personnes qui ont croisé ma route, merci. Je ne vous oublie pas.

Sommaire

Achevé d'imprimer au Canada
sur les presses de Imprimerie Lebonfon Inc.